G 15 D   12,00

EL ABC
DEL TAI CHI CHUAN

Louis Wan der Heyoten

EL ABC
DEL TAI CHI CHUAN

Traducción del francés de Alicia Sánchez

editorial Kairós

Numancia, 117-121
08029 Barcelona
www.editorialkairos.com

Título original: ABC DU TAÏ CHI CHUAN

© Éditions Grancher, 1999

© de la edición en castellano:
2000 by Editorial Kairós, S.A.
Numancia, 117-121. 08029 Barcelona. España
www.editorialkairos.com

Primera edición: Enero 2001
Segunda edición: Marzo 2005

I.S.B.N.: 84-7245-482-7
Depósito legal: B-9.925/2005

Fotocomposición: Beluga y Mleka, s.c.p. Córcega 267. 08008 Barcelona
Impresión y encuadernación: Romanyà-Valls. Verdaguer, 1. 08786 Capellades.

*A mis hermanas Monique e Irène
que caminan a mi lado
en la vía del Tai Chi Chuan.*

*«El principiante estudia el arte del puño cerrado,
el maestro cultiva el de la mano completamente abierta.»*

ADVERTENCIA

Deseo de todo corazón que esta obra sensibilice a un gran número de futuros practicantes.

Querido lector, este libro está pensado para invitarle a buscar a un buen profesor que le guíe eficazmente por la vía de la energía interna. Esta elección es de vital importancia para su progreso en el futuro.

El Tai Chi Chuan es un momento de frescor primaveral, de felicidad intensa, una declaración de amor a la energía que hay en su interior y fuera de sí, es también un instante de eternidad.

¡Que tenga un buen entrenamiento en el júbilo y el placer!

Si tiene preguntas o si le interesa nuestra escuela, ésta es nuestra dirección:

École de Tai Chi Chuan Kuo Chi
Lot les Cerisiers
Chemin des Barelles
83500 La Seyne–sur–Mer

Entre el cielo y la tierra

Tú te enraízas en el suelo
te enraízas en la tierra
y tu espíritu emprende su vuelo
y te vas hacia la luz.

Y tú miras a tu alrededor
y reconoces a todos tus hermanos
y comprendes que por la fe
se destruyen las fronteras.

Tú vislumbras cien mil alegrías
y quieres empujar tus barreras
y cada vez te dices
que entrevés más luz.

Tu cuerpo es una inmensa cruz
suspendida entre el cielo y la tierra
y en esa posición
todo tu impulso se convierte en oración.

Tu cuerpo se eleva en el júbilo
tu corazón se funde en la luz
y gracias a esta fusión
vislumbras los misterios.

MARIE-JOSÉE MUSELLI

El Tai Chi Chuan es un largo viaje al interior de uno mismo: «Para recorrer mil azucenas, se ha de empezar por dar el primer paso». Pero, «de la raíz hasta la flor, la distancia es larga».

El Tai Chi Chuan es como el universo, pues éste es «la luz de una perla», pero también «hace falta tiempo para que un grano de arena se convierta en una perla luminosa».

PRIMERA PARTE:
LA TEORÍA

FICHA TÉCNICA
DEL TAI CHI CHUAN
(MÉTODO HUI CHEUNG YIN)

El aprendizaje del Tai Chi Chuan se divide en tres fases principales: los ejercicios básicos, que comprenden los movimientos preparatorios (en nuestro método hay 35), los ejercicios avanzados (15) y los superiores (3), luego están las secuencias de los movimientos y por último los ejercicios de combate o Suan Shou.

Los movimientos básicos (movimientos preparatorios, avanzados y superiores) permiten adquirir la flexibilidad de la cintura, enraízarse en el suelo, la coordinación de las diferentes partes del cuerpo en armonía con la mente. La meditación desempeña un papel esencial. La musculación y la práctica de la fuerza se han de descartar. Básicamente se hace hincapié en la flexibilidad de la cintura, que por su posición intermedia, constituye el eje de todos los movimientos. La sincronización de los gestos y de la respiración lenta y continuada componen la esencia del trabajo en el Tai Chi Chuan.

Las secuencias de la forma, denominados movimientos Duan, se realizan en desplazamientos que se encadenan en series ininterrumpidas. Los movimientos Duan suelen describir un círculo y cada uno tiene un nombre particular que hace referencia a animales (por ejemplo: "la grulla extiende sus alas").

Por último el Suan Shou es el resultado de muchos años de trabajo. En primer lugar es la aplicación en combate de las técnicas en su forma larga o simplificada; luego es el combate libre.

Pero la "finalidad", si es que a esto se le puede llamar finalidad, es la práctica por la belleza propia del gesto, por la gracia de los movimientos, para la pureza de la respiración, por la vida que existe y que se mueve en nosotros, para hacernos uno con el chi. Esta práctica no tiene fin, es eterna.

BREVE HISTORIA
DEL TAI CHI CHUAN

Los orígenes del Tai Chi Chuan se remontan a los siglos V y VI, pero esta práctica secreta era cosa de algunas grandes familias que no difundían su enseñanza. En la actualidad hay dos grandes escuelas: la escuela Chen y la escuela Yang, cada una de ellas discute la integridad de la otra.

Nosotros no entraremos en esas controversias, una vida no bastaría para ello. Sea lo que fuere, la biografía de Yang Lou Ch'an refleja bien el estado de nuestros conocimientos en la materia.

La historia de Yang Lou Ch'an, discípulo del siglo XIX que propició la difusión del Tai Chi Chuan, ilustra el elitismo del clan chino.

Hacía mucho tiempo que Yang Lou Ch'an practicaba artes marciales cuando oyó hablar de un boxeo especial mantenido en secreto por la familia Chen. Por medio de una artimaña, consiguió entrar a trabajar en la casa como criado y pudo espiar al maestro mientras enseñaba a sus hijos. Descubierto y obligado a efectuar una demostración, se puso a ejecutar los movimientos con tal exactitud que de alumno clandestino pasó a ser discípulo privilegiado.

Resultado: el Tai Chi Chuan no deja de propagarse por el país e incluso, por propia necesidad, a través de versiones poco ortodoxas (principalmente las enseñanzas dispensadas en la corte imperial).

Actualmente pocas personas pueden reivindicar realmente

que pertenecen a la escuela Chen o Yang (Yang Lou Ch'an), pero ¡todo el mundo pretende enseñar el verdadero Tai Chi Chuan!

El estilo de Tai Chi Chuan que presentamos en esta obra es el estilo Yang, en su forma simplificada, denominada "forma de Pekín", según las enseñanzas del maestro Kuo Chi, que ha sido mi profesor durante más de diez años.

EL TAI CHI CHUAN

Tai Chi significa "gran Cima", "lo Último", "el gran Uno" y Chuan significa "acción". Tai Chi Chuan quiere decir entonces "la acción de ir hacia lo que es más Grande que uno mismo, hacia la Cima suprema, hacia la Luz, por medio de la ayuda de una técnica energética".

Éste es el significado que más me gusta, el que me es más afín. Pero también hay otros: boxeo de la sombra, etc.

El origen del Tai Chi Chuan se podría remontar al "juego de los cinco animales" inventado en China por un médico imperial en el siglo II, a imitación de las bestias salvajes.

El Tai Chi Chuan es un arte marcial tradicional chino, pero también es una "cultura física y mental". Los siglos de práctica han probado su valor para conservar la salud y prevenir las enfermedades.

La forma de los movimientos es circular, continuada y cambia lentamente. Los movimientos lentos circulares desarrollan cada uno de los sistemas corporales armoniosamente, a la vez que dotan de una gracia natural.

Desde el principio hasta el final, todos los movimientos se suceden sin descanso. Se encadenan a un ritmo regular y lento, como las nubes que flotan en el cielo azul.

El Tai Chi Chuan también es un arte que se funda en las teorías del *Libro de las mutaciones (I Ching)*. Según este libro, del Tai Chi Chuan (Cumbre suprema) se derivan dos factores: el yin y el yang. «Yin y yang derivan ambos del Tao.» El Tao determina el curso de todas las cosas, da nacimiento al cielo, al Sol, a la Luna, a las estrellas, a la Tierra, a los seres humanos y a toda sustancia. El Tao llena todo el universo, es ilimitado e interminable.

El I Ching

«Si todavía me quedaran muchos años de vida, pasaría cincuenta estudiando el *I Ching* y evitaría cometer grandes errores a continuación», dijo Confucio el día que cumplió setenta años. Pero al ilustre sabio que forjó la reputación de China y que estableció las bases de una filosofía que todavía se sigue y respeta, sólo le quedaban dos años en este mundo, los cuales consagró al estudio del *I Ching. El libro de las mutaciones.*

Si nos fiamos de la tradición, el *I Ching* data del -2852. Se conoce al autor, aunque puede que se trate de una leyenda, un emperador de China llamado Fou Hsi. La obra fue revisada en el año -1143 por cierto rey llamado Wen y por su hijo, el duque Tchou, aunque estos títulos suenen bastante occidentales.

Fue en el siglo -v cuando Confucio se interesó por el *I Ching* y añadió notas y comentarios a *El libro de las mutaciones.*

Se trata de una obra inmensa que en principio se presenta como una interpretación gráfica de las características humanas en sesenta y cuatro figuras, denominadas "hexagramas" porque están formadas por seis líneas, unas continuas y otras discontinuas. «Es el sistema adivinatorio más antiguo, altamente sofisticado.»

El concepto básico del *I Ching* es que existe una magia del universo donde todo está en constante evolución, donde todo se transforma, donde todo se encuentra en un estado de mutación permanente.

La evolución de la vida se halla siempre presente en las figuras del *I Ching.*

Cómo se inventó el I Ching

En China las cosas no son como en los demás sitios. De modo que no fue un mago, ni un escribano, ni un sacerdote, ni un brujo, sino simplemente un emperador quien inventó el *I Ching.* Además declaró no haberlo descubierto solo: faltaba la intervención de un dragón. Así que hace ya más de 4.800 años, el emperador chino Fou Hsi se paseaba por la orilla del río amarillo, cuando un dragón emergió del agua y salió a su encuentro. El fabuloso animal llevaba sobre su espalda un tablero octogonal sobre el cual se podían ver ocho signos que formaban los trigramas (figuras constituidas por tres líneas, que se diferenciaban por la alternancia de líneas enteras y partidas por la mitad). Estos signos son los *pakuas*.

La armonía entre el cuerpo y la mente

Las técnicas del Tai Chi Chuan se fundan en las teorías de la Cumbre suprema. Todos los movimientos se basan en la armonía entre el yin y el yang. Esto significa que las actividades físicas han de estar de acuerdo con las actividades mentales. Los chinos dicen que cuerpo y mente se han de cultivar a un mismo tiempo. De ahí que el Tai Chi Chuan busque la armonía entre lo físico y lo mental.

En la práctica, el yin y el yang son acción y reposo, fuerza y agilidad, movimiento y quietud; en la táctica, realidad y finta; en la posición, ascenso y descenso.

El practicante de Tai Chi Chuan ha de reconciliar la concordancia de estos dos principios, el compromiso que más convenga en una situación: fintas en medio de movimientos de fuerza combinados con movimientos de agilidad, la acción que surge de la inmovilidad y la inmovilidad que se sitúa entre dos acciones.

Además, ha de existir una armonía entre los movimientos y la mente a fin de que la concentración, la respiración y los encadenamientos de técnicas estén coordinados. Para ello se requiere una mente calmada y equilibrada, no tener preocupaciones, ni estar alterado, agitado o ansioso.

En un plano psicológico, el Tai Chi Chuan insiste en la concentración, para la que se necesita paz mental. Sólo un espíritu en reposo puede decidir los movimientos apropiados para su entorno. ¿Por qué es tan importante el hecho de cultivar el espíritu en lo que a las acciones físicas se refiere? La razón es sencilla: todos los movimientos son generados por el pensamiento. Es él quien ordena que nos movamos o que permanezcamos inmóviles. Un espíritu en paz es el mejor estado para hacer frente a cualquier situación. Además, genera una respiración regular, un pulso lento y acciones voluntarias y eficaces. Ésta es la razón por la que en primer lugar un practicante de Tai Chi Chuan ha de cultivar su espíritu.

La fuerza del Chi duerme en nosotros, el Tai Chi Chuan la despierta

El Tai Chi Chuan es la armonía original. Es el símbolo del Tao (dos superficies en forma de coma que ocupan un círculo), que representa la esencia de la perfección.

El Tao simboliza un feto masculino y un feto femenino, una especie de ideal inaccesible. Al acercarse a esta imagen el adulto reencuentra un equilibrio natural. Atraviesa una especie de camino iniciático pero a la inversa, en dirección a la infancia.

Lao Tse decía: «Para conservar la vitalidad, nos hemos de parecer a un recién nacido: sus huesos son blandos, sus músculos flexibles y, sin embargo, ¡se agarra con fuerza! No sabe nada de la unión sexual, no obstante, su verga se endereza. Chilla todo el día, pero su garganta no se queda ronca. Se pasa el día mirando, sin embargo, sus ojos no parpadean».

La imitación de los recién nacidos (y de los animales) mediante el Tai Chi Chuan es un retorno a la unidad primordial, al elemento acuático que simboliza la vida y el regreso al círculo de la armonía.

El Tai Chi Chuan y la salud

Los cuatro elementos principales del Tai Chi Chuan son el trabajo de la respiración, los ejercicios de flexibilidad (Tao Yin), los movimientos circulares y la concentración (que es la vertiente psíquica y espiritual).

El Tai Chi Chuan permite gozar de buena salud, pues tiene una acción terapéutica:

1. Propicia la respiración regular y aumenta el volumen respiratorio. En la práctica, se insiste en el control de la respiración y del movimiento: se han de evitar los gestos bruscos y el agotamiento. La armonía entre la respiración y la acción ayuda a no malgastar la energía.

¿En qué consiste el aprendizaje de la respiración? Esencialmente en favorecer la respiración abdominal respecto a la respiración torácica. Si asistís a un curso os sorprenderá ver los prominentes vientres de los practicantes. En efecto, los maestros recomiendan relajar la cintura y el abdomen, el trabajo del diafragma (que baja en la inhalación y vuelve a su lugar en la exhalación) que implica hinchar el vientre.

Estos ejercicios permiten alargar las espiraciones y las inhalaciones, a fin de aumentar la capacidad respiratoria, mientras que la presión ejercida sobre los diversos órganos facilita la digestión y estimula las secreciones internas (la exhalación es, esto hay que saberlo, uno de los movimientos esenciales para el cuerpo, la experiencia ha probado que los intercambios celulares se realizan sobre todo durante este tiempo de vaciado progresivo).

Este trabajo de la respiración (Chi) favorece la concentración de la energía y la adquisición de una fuerza no muscular. Aunque a veces sea difícil separar lo real de lo somático, parece que en cuanto a técnica respiratoria, en el futuro el Tai Chi Chuan puede encontrar su lugar en el marco todavía embrionario de una gran medicina preventiva occidental.

2. Permite un desarrollo equilibrado del cuerpo, pues todos los movimientos son totalmente simétricos, ya que se realizan a izquierda y derecha.

3. Desarrolla la relajación muscular y la acción rápida. El practicante de Tai Chi Chuan hace todo lo posible para evitar la tensión muscular y la excitación nerviosa. Así los músculos relajados no se fatigan y responden más rápido a cualquier petición.

La relajación provoca una especie de desbloqueo en el plano físico y psicológico. Si la puerta se abre con brusquedad, y las apariencias te abandonan de golpe, puedes venirte abajo. A veces sucede que una persona tiene malestar o prorrumpe en sollozos. Pero estas reacciones son poco frecuentes. Son la prueba de que al actuar sobre el cuerpo los inventores chinos iban mucho más allá.

4. Aumenta la flexibilidad. La mayor parte de los estilos de Kung Fu utilizan la fuerza bruta. Pero, en el Tai Chi Chuan se aplica de tal manera que se llega a un compromiso entre el ejercicio de la fuerza y la flexibilidad del movimiento. Dicho de otro modo, hay flexibilidad en la fuerza y fuerza en el flexibilidad. Así el practicante puede utilizar mejor su energía.

5. Permite armonizar la mente y la acción. En el Tai Chi Chuan, todas las formas "exteriores" (los movimientos) han de seguir al pensamiento "interno" (la mente). De este modo el practicante puede concentrar toda su energía, interna y externa, y utilizarla mejor. Ha de seguir dos reglas: "concordancia entre la mente y la respiración" y "concordancia entre la respiración y el ejercicio de la fuerza", a fin de optimizar el uso de su energía.

6. Conduce a una elevación del espíritu e incluso a la felicidad.

7. Por último es excelente para los siguientes sistemas:

–El sistema nervioso.

Según los últimos descubrimientos en fisiología, especialmente los estudios sobre el centro del sistema nervioso, los médicos han constatado el importante papel del Tai Chi Chuan. Todos los practicantes comparten una experiencia única: una relajación completa, resplandor, agilidad insospechada y una paz perfecta. Éstos son los signos elocuentes del maravilloso humor y la alta motivación que invaden el sistema fisiológico de todo el cuerpo. La experiencia prueba que incluso antes de la expansión del movimiento, el humor puede afectar a la química de la sangre, el proceso dinámico de la circulación, el metabolismo plástico. Por eso para las enfermedades crónicas el buen humor es todavía más importante. No sólo activa todo el sistema nervioso sino que también ayuda a eliminar la mentalidad mórbida, lo cual puede favorecer la curación.

–El sistema cardiovascular y respiratorio.

Los movimientos de este arte aseguran una respiración rítmica y permiten la elasticidad del diafragma de manera espectacular. Activan la sangre y la circulación en las glándulas linfáticas y reducen las equimosis.

La respiración regular también ayuda a purificar la sangre, eliminando las toxinas del organismo. El ejercicio regular es un buen antídoto contra las múltiples causas de los problemas cardíacos y arteriales.

–El esqueleto, los músculos y las articulaciones.

Ni que decir tiene que la flexión y extensión regular del esqueleto, de las extremidades y de todo el cuerpo fortalecen la circulación de la sangre por las venas y que los movimientos respiratorios activan igualmente esta circulación. Los movimientos del Tai Chi Chuan estiran los músculos y exigen una respiración profunda y regular. Además, el movimiento del diafragma ejerce un masaje sobre el hígado.

–El sistema digestivo.

El Tai Chi Chuan permite prevenir e incluso curar enfermedades del sistema digestivo. La respiración puede ser un estímulo mecánico del sistema gastrointestinal, activar la circulación sanguínea, y de ese modo activar la digestión y prevenir el estreñimiento.

LA IMPORTANCIA FUNDAMENTAL DEL YIN Y EL YANG

«El mundo, el universo, sigue movimientos circulares, ciclos que se repiten constantemente y obedecen leyes y ritmos. La Tierra, en el centro del sistema y en continuo movimiento, sufre la acción de las "energías" de origen cósmico y responde a ellas.»

Nos encontramos ante dos ejes energéticos, uno que viene de arriba y que se dirige hacia abajo y otro que viene de abajo y se dirige hacia arriba. El que viene de arriba es yang, el que viene de abajo y se dirige hacia arriba es yin. También existen movimientos en sentido horizontal, de este a oeste (como el sentido del curso del sol), que son yang, y movimientos de oeste a este (como el de rotación de la tierra), que son yin. Cuando consideramos los movimientos rectilíneos y giratorios a un mismo tiempo, hemos de precisar si se trata de movimientos verticales u horizontales. En las representaciones gráficas, el medio círculo superior representará el cielo y el medio círculo inferior la tierra.

En el pensamiento chino, el cielo, que es la culminación del sol, se encuentra en dirección sur. Efectivamente, en nuestro hemisferio norte, el sol jamás está encima de nuestras cabezas, sino ligeramente al sur. Sólo en el ecuador el sol se encuentra por encima de la cabeza. Para un chino, el sur es el símbolo del cielo. Por consiguiente, si se diseña una representación gráfica del *I Ching*, siempre se pondrá el sur en lo alto. Para nosotros que diseñamos nuestros mapas geográficos con el Norte arriba y el Sur abajo, es una actitud nueva que no hemos de olvidar. La noción del cielo-tierra es fundamental e indispensable, por la sencilla razón de que el Sol, la Luna, la Tierra, el cielo, las estaciones, etc., todo esto existe porque hay un cielo y una tierra y sobre todo una tierra, pues sin ella no habría vida para los seres humanos y nadie sabría ni vería que hay un cielo.

La representación lógica es un círculo

Desde entonces, todos los razonamientos se basan en el círculo y sus diámetros. Son las rectas que unen el sur y el norte y por otra parte el este y el oeste. El conjunto gira sobre sí mismo "en el sentido de las agujas del reloj". Filosóficamente hablando, hay un movimiento constante yang, de arriba abajo, y yin, de abajo arriba, pero también yang, del exterior del círculo hacia el centro, y yin, del centro hacia el exterior. Todo lo que está en el sentido creciente es yang, lo que está a la inversa es yin.

Si ahora tenemos en cuenta, no las relaciones cielo-tierra, sino lo que pasa en la tierra, encontraremos ejes horizontales este–oeste y oeste–este. La culminación del sol está en el sur. Cuando sale se dirige hacia su puesta al oeste. Realiza un recorrido de un cuarto sudoeste; la vida es decreciente, es un sector yin; hasta que el movimiento del Sol se encuentre en el momento de remontarse, es Yang. Pero pasado el punto norte, el sol se remonta y se eleva por encima del horizonte, al punto este, es la mitad que se prolonga sobre la trayectoria norte, es el sur. En el sur el movimiento, que prosigue sin interrupción, se vuelve yin.

Esta concepción no es una lectura inútil, permite entender las ambigüedades que presenta para nosotros el pensamiento chino. Nos ayuda a suavizar las dificultades con que nos encontramos para razonar como los chinos, lo que es necesario para comprender ciertas disciplinas.

ASPECTOS GENERALES
DEL TAI CHI CHUAN

Los chinos han creado un arte eficaz denominado Tai Chi Chuan, para fortalecer la regularización interna del cuerpo humano. El Tai Chi Chuan concentra la mente, regulariza la respiración y hace que se muevan las extremidades aprovechando la corriente de la conciencia. Por consiguiente, el aire sano se conserva en el cuerpo, los elementos nocivos son expulsados, se mantiene la armonía entre el ser humano y la naturaleza y el cuerpo se adapta bien a los cambios del entorno natural. Éstos son los efectos del Tai Chi Chuan.

En realidad se puede utilizar el Tai Chi Chuan para mejorar la capacidad respiratoria del cuerpo humano, reforzar las funciones inmunológicas y acelerar la sanación.

La lucha entre el aire sano y el aire viciado determina la aparición, evolución y pronóstico de una enfermedad.

Si predomina el aire sano, la enfermedad retrocederá. Si es al contrario, la enfermedad empeorará y quizás causará la muerte.

En nuestro mundo la respiración es el elemento más divino que podamos concebir. Por lo tanto, no sólo hemos de ver en ella una inhalación, sino también una exhalación. Es una purificación profunda y total del ser humano, no sólo del cuerpo físico sino de los otros cuerpos que lo componen.

El aire que respiramos es un elemento más inmaterial que concreto, en su esencia contiene la sustancia de toda la vida, el germen profundo del fuego, del agua, de la tierra y de un millar de cosas más. Hemos de verlo como un soporte, como signo de la chispa primordial.

La purificación por la respiración, si puede mejorar un aspecto material, será ante todo eficaz en el reino invisible.

La respiración es la vida. La fuerza de la vida es omnipresente a nuestro alrededor y nuestra respiración es un intercambio de amor permanente entre el interior y el exterior de nuestro ser.

El ritmo de nuestra respiración está en armonía con los ritmos del universo.

La energía del amor de la que nosotros disponemos no tiene otros límites que los de nuestras propias barreras y los de nuestra imaginación.

Cuando exhalamos, damos.

Cuando inhalamos, recibimos.

Dar y recibir sin cesar es el eje principal de nuestra vida.

El Tai Chi Chuan exige una respiración natural que no nos produzca cansancio. Como todos sabemos, en los deportes el oxígeno que reclama el cuerpo excede en mucho al que necesitamos cuando nos movemos. Sin embargo, en el Tai Chi Chuan, la dulzura de los movimientos permite una respiración profunda y sin demasiados esfuerzos.

Los principiantes ante todo deberán aprender a respirar con naturalidad, sin intentar adaptar su respiración a los movimientos de los ejercicios. Cuando hayan adquirido una cierta técnica, podrán adaptarla a la cadencia y a la extensión de sus propios movimientos, por ejemplo, inhalar en alto, exhalar en bajo, inhalar abierto y exhalar cerrado, unificando de este modo la respiración y el movimiento.

Una mente equilibrada

Las investigaciones demuestran que los electroencefalogramas KEL (EEG) de las personas que padecen enfermedades causadas por emociones negativas mejoran notablemente tras haber practicado Tai Chi Chuan. Es decir: una onda rápida de débil amplitud antes del ejercicio se vuelve lenta después de éste, y una onda de frecuencia baja se vuelve normal. La constancia en la práctica del Tai Chi Chuan hace que en el EEG aparezcan ondas de baja frecuencia cuya amplitud es tres veces más grande en una persona que no practique Tai Chi Chuan. Estos cambios prueban que el Tai Chi Chuan puede prevenir la estimulación excesiva y los focos infecciosos debidos a las emociones. El sistema nervioso funciona mejor y el funcionamiento de los órganos internos es mucho más regular.

La armonía entre el movimiento y el reposo

En la práctica del Tai Chi Chuan el movimiento y el reposo se armonizan: el movimiento forma parte del cuerpo y el reposo se encuentra en el seno del movimiento, la firmeza alterna con la agilidad.

La energía se regulariza mediante la circulación del Chi, a lo largo de los meridianos y de las ramas colaterales, conseguida gracias al movimiento coordinado de las manos y de los pies, de los codos y de las rodillas, de los hombros y de las caderas. El movimiento estimula los meridianos y las ramas colaterales y mejora el funcionamiento de los puntos de acupuntura por los que pasan, que hacen que la mente se mantenga lúcida.

La presión en el interior del abdomen cambia según la respiración sea lenta, profunda, suave y regular. Gracias a ella el estómago y los intestinos reciben un masaje mediante la respiración. Por consiguiente, el Tai Chi Chuan favorece la digestión y la asimilación de los alimentos reforzando la secreción de las glándulas digestivas.

RECOMENDACIONES PARA LA PRÁCTICA DEL TAI CHI CHUAN

Durante la práctica:
–No se debe estar excitado ni alterado. Antes de empezar, hay que eliminar todos los pensamientos y concentrarse en la circulación del Chi. Imagine que se armoniza con la tierra a través de los pies y con el cielo a través de la cabeza. Debe ser uno con el universo. Tome conciencia de este estado interior. Atrape cualquier pensamiento parásito. Si puede, elija un lugar tranquilo con flores y árboles, donde haya aire fresco. Si practica el Tai Chi Chuan en el interior, procure hacerlo en una habitación aireada.

–Todas las articulaciones del cuerpo han de trabajar con suavidad para poder transmitir el Chi a lo largo de los meridianos y producirlo correctamente. Los movimientos han de ser flexibles; el movimiento y el reposo coexisten, la firmeza y la flexibilidad se armonizan y la relajación y la tensión se van alternando.

–Si se produce un ruido o algo nos perturba, hemos de proseguir como si no pasara nada.

–Acompase bien la respiración y manténgala profunda, larga, fina, lenta y regular. Esta forma de respirar permite que los glóbulos rojos transporten más oxígeno para nutrir las células del cuerpo –sobre todo las del cerebro, las de las cinco vísceras Wuzang (corazón, hígado, pulmones, bazo y riñones) y los cinco receptáculos (vesícula biliar, estómago, intestino delgado, intestino grueso, vejiga y los recalentadores)– y para proporcionar una buena base material a las funciones fisiológicas del cuerpo.

–Procure coordinar bien las manos y los pies, los codos y las rodillas, los hombros y las caderas. Esto es lo que denominamos los "tres acuerdos". Es esencial que los movimientos sean correctos y armoniosos para que esta práctica dé los frutos deseados.

–Durante el ejercicio, ponga el énfasis en la concentración interna de la mente y aprenda a transformar la concentración externa en concentración interna, ésta es la clave del éxito de los ejercicios. Mediante la concentración interna de la mente, el practicante regula y protege la corteza cerebral de la corriente de ideas, a fin de aprovechar la energía vital del cuerpo y de acelerar el movimiento, la transmisión o la conservación de esta corriente de vida en su organismo. Sin concentración rara vez se logra la meta del ejercicio.

LOS EFECTOS DE UNA PRÁCTICA REGULAR DEL TAI CHI CHUAN

Tras una práctica regular de seis meses, podrá alcanzar los siguientes resultados:

–Cabeza: la mente está despejada, el cuerpo y la memoria se han reforzado. Duerme bien, la mente está alerta y se siente lleno de energía. Estos efectos se deben a que las células cerebrales y el resto del cuerpo tienen suficiente oxígeno.

–Ojos: la cantidad de oxígeno aumenta y mejora la circulación sanguínea, la visión es más clara y la mente está serena.

– Corazón y pulmones: mejoran las funciones del corazón y de los pulmones gracias al aumento de la fuerza del músculo cardíaco, lo cual pone fin a las palpitaciones y al ahogo, los resultados de los electrocardiogramas mejoran.

–Pecho: aumenta la energía pectoral (Zongqi): la energía clara (Qingqi) y la energía vital (Qi o Chi) se nutren del aire y de los alimentos, cada una de ellas se considera como una energía adquirida en el nacimiento; al encontrarse en el tórax forman la energía pectoral (Zongqi), que produce el sonido de la voz y facilita la respiración.

–Bazo y estómago: aumenta el apetito y se asimilan mejor los "nutrientes ingeridos".

–Hígado y vesícula biliar: mejoran sus funciones, se activa la digestión y la absorción, se refuerza la inmunidad y la resistencia del cuerpo contra las enfermedades. Las personas propensas a los resfriados podrán evitarlos y no los sufrirán tan a menudo.

–Abdomen: la práctica regular permite reducir o suprimir la acumulación de grasa y favorece el peristaltismo intestinal y del estómago, lo cual embellece la figura y evita el aumento de los lípidos en la sangre.

–Función genital: la práctica del Tai Chi Chuan refuerza los genitales, previene y trata la impotencia, la pérdida seminal, los problemas menstruales y de la próstata.

–Los cuatro miembros: se lubrican las articulaciones y se refuerzan los tendones y los huesos.

–Columna vertebral: el Tai Chi Chuan previene las deformaciones.

LOS MEDIOS PROPIOS DEL TAI CHI CHUAN

La utilización de los pies

Para empezar, el Tai Chi Chuan se practica de pie. Muchas personas usan únicamente sus pies de la manera más primitiva. Por consiguiente, mentalmente sólo asocian a sus pies con la función de plataforma o superficie de apoyo. Después de tantos años de hacer semejante uso de los mismos, los músculos de los pies y de las piernas están la mayor parte del tiempo en un estado de contracción permanente, petrificados, por así decirlo, en la única posición que pueden estar los pies para darnos el servicio que exigimos. No es raro encontrar formas de pie que sólo sirvan como plataforma, para estar de pie inmóvil. Cuando queremos realizar una acción que requiere un cambio en la forma del pie y, por consiguiente, un modo de contracción diferente de los músculos y una configuración nueva de los huesos, notamos que ciertos músculos son demasiado cortos y otros demasiado débiles, y que el estado de los ligamentos y de los huesos hacen que la nueva función que se les da, a la que no están acostumbrados, resulte desagradable e incluso dolorosa. Para poder realizar la acción, las piernas, la pelvis y el cuerpo entero han de adoptar actitudes anormales, extrañas y caricaturescas. Estas personas se cansan más rápidamente, se vuelven irritables y sus movimientos carecen de impulso y de soltura; se distraen: su torpeza mental es tan evidente como la física.

Un gran número de personas no tienen ningún control sobre

los dedos de sus pies; su andar y su postura corporal sufre a causa de ello. Esta falta de firmeza no tiene demasiada importancia en sí misma, pero el hecho de que la persona no pueda elegir libremente entre todas las posibilidades y se vea obligada a realizar acciones o a mantener actitudes predeterminadas conlleva un profundo sufrimiento en todos los planos de su personalidad.

A nuestro entender, las personas que no son capaces de utilizar de distintas formas, según la necesidad, una parte de su ser sólo gozan de una independencia parcial de esta parte de ellos mismos, y en este aspecto están todavía en la infancia.

Los profesores de Tai Chi Chuan dignos de recibir ese título hacen avanzar a sus alumnos en la senda de la madurez y les demuestran que la causa de su deficiencia no es una enfermedad hereditaria sino una falta de aprendizaje. La revelación de esta verdad permite a los alumnos volver a entrar en la vía del progreso. Retomar el desarrollo y el uso más variado de los pies suele conllevar un aumento de la vitalidad general, una especie de mejoría local.

Como ya hemos dicho antes, el Tai Chi Chuan se practica de pie, los pies están bien enraízados en el suelo. De este modo recibimos las energías de la misma tierra que nos sostiene, ésta no nos nutre sólo con lo que produce sino a través de una constante emisión de fuerzas que brotan de sus profundidades.

Nuestros pies son como las raíces móviles de nuestro árbol corporal y reciben constantemente una savia secreta, maternal, en su polaridad, reflejo transmutado de la savia solar.

La tierra nos habla. Cada célula de nuestro cuerpo, aunque se encuentre en la planta de nuestros pies, lleva un embrión de todos nuestros órganos, de todos nuestros sentidos y de nuestro corazón luminoso.

El equilibrio dinámico

Lo que diferencia al Tai Chi Chuan de todas las demás disciplinas es su forma de utilizar el cuerpo.

Se puede dudar de la validez o incluso de la existencia de un método especial para usar nuestro cuerpo que todavía no sea conocido por todos. Aprendemos a desenvolvernos en una sociedad en la que la seguridad personal se asume colectivamente y en la que desde nuestra más tierna infancia se nos incita a estar orgullosos de nuestra inteligencia, de nuestra fuerza, etc., todas ellas cualidades innatas, y a avergonzarnos de nuestros defectos, también innatos. De modo que los motivos de orgullo y de vergüenza no tienen más fundamento que la vergüenza de no ser rubio o el orgullo de amoldarse a las situaciones del momento. Las creencias adquiridas en semejante sociedad no tendrán valor cuando el resultado no dependa de nuestra posición social, sino de la eficacia de nuestra acción. Ahora bien, la acción sólo es fiel a su meta si puede alcanzarla en cualquier circunstancia. Esto exige una flexibilidad especial del cuerpo y de la mente, que rara vez se consigue en el orden social actual.

En nuestra sociedad se nos ha enseñado a considerar cualquier atentado contra nuestra estabilidad corporal como un insulto (como las reacciones de una persona alterada a causa de otra) y nos sentimos obligados a defender nuestro "honor" o nuestra "dignidad" empleando una fuerza superior a la que nos ha "deshonrado".

En el Tai Chi Chuan enseñamos una estabilidad funcional, un equilibrio inestable, precario, que sólo es válido para un momento dado, suficiente para llevar a cabo la acción en curso. Nosotros enseñamos la movilización completa de nuestros medios y su orientación concentrada en el logro de la meta a la que aspiramos, desechando todo lo que no sirve en ese momento.

Experimentamos una rara satisfacción al actuar en movimiento.

El Tai Chi Chuan conduce a una independencia tal de la gravitación que el practicante se encuentra en un estado capaz de dirigir toda su atención a la acción en curso sin preocuparse de su equilibrio. La persona corriente que intenta mantener el equilibrio primitivo sobre los dos pies, constata que el cuerpo se tensa por temor a caer, lo cual le incapacita para realizar cualquier acción que pretendiera hacer en ese momento.

El gato, por ejemplo, nunca se tensa cuando se le empuja, le es tan fácil hallar otra posición de equilibrio que no se aferra a la que tenía. En el ser humano, la cuestión de la resistencia al desplazamiento se complica por cuestiones de índole social. Hasta que el sistema nervioso no está bien desarrollado, al niño le cuesta encontrar el equilibrio y lo mantiene separando las piernas. El aumento de la base de sustentación es el único medio para salvaguardar su posición erguida. Si eso no es suficiente, se cae. El adulto mantiene la postura de pie gracias a un ajuste continuo a la vertical; no tiene el recurso de aumentar la base salvo cuando los otros medios demuestran ser insuficientes. La posición de pie de un adulto no está regida por las leyes de la estática, esencialmente es un equilibrio inestable que se restablece continuamente. El centro de gravedad está situado bastante por encima de la pequeña base y es necesario realinearlo constantemente.

Este centro se sitúa un poco por delante de la articulación de la quinta vértebra lumbar y la primera sacra, a la altura de un plano horizontal, donde al rotar, el tronco y la cadera se diferencian en dos masas articulares separadas. En la cara anterior, el eje se sitúa a dos o tres dedos por debajo del ombligo, este centro se llama Tan Tien.

El Tan Tien en el pensamiento chino se considera como el "nudo del equilibrio" del cuerpo humano.

Los adeptos del Tai Chi Chuan son unos apasionados del equilibrio, por lo tanto es normal que se interesen por el centro de gravedad del cuerpo. Ser conscientes de este punto sólo es el aspecto estático de la terapia de Extremo Oriente. El aspecto dinámico recomienda activar este nudo de energía para obtener todos los beneficios.

Comparemos el tendón a una brasa todavía caliente enterrada entre las cenizas ya frías. El fuego y la energía sólo están apagados aparentemente. Para reanimarlos es necesario utilizar aire; es decir, en nuestro caso bastará con la respiración, el vector de activación del lugar más sutil de nuestro ser.

En la figura 1 vemos un hombre dando una patada. Los brazos están abiertos para mantener el equilibrio dinámico en esa posición de pie.

En el Tai Chi Chuan, al igual que en la ciencia, una idea sólo

1

es válida cuando se corrobora con la experiencia. El equilibrio dinámico de la figura 1 puede parecer precario (sobre una pierna), pero no es así: se trata de un movimiento que puede llevar a cabo cualquier persona cuyo crecimiento haya sido normal. El método de control del cuerpo que enseña el Tai Chi Chuan no es nuevo para los que alcanzan su madurez adulta; sin embargo, sí lo es para quienes no han experimentado un desarrollo armonioso y han dejado una parte de su personalidad inactiva, mientras que ha explotado otras en exceso.

El equilibrio dinámico es el que vemos en el movimiento de la peonza o de la bicicleta. Su forma está diseñada para que sólo guarden el equilibrio cuando están en movimiento. La persona de la figura 1 está en equilibrio dinámico, justo antes de haber completado su movimiento, y después de éste tendrá que cambiar de posición para no caerse.

Observación

Actualmente se sabe que el rayo no cae del cielo, sino que es una corriente que sale del suelo y se eleva para encontrarse con la electricidad del cielo, que es la que provoca la descarga eléctrica que va a parar a la tierra...

Todo lo que está vivo necesita de ese intercambio de energía eléctrica tierra-cielo para crecer; esto es un hecho, a pesar de lo que puedan decir las mentes escépticas. No se trata de una teoría utópica, sino de hechos verificados en parte por nuestra ciencia y conocidos ya en China desde la Antigüedad.

Esto explica que algunos hindúes planten en sus jardines cañas de bambú afiladas para acrecentar este intercambio tierra-cielo alrededor de sus huertos.

¿Qué es lo que comprobaremos? Un crecimiento anormal de las verduras que se encuentran entre medio de estas cañas de bambú, puesto que están en un "campo" favorable. Es decir, el desarrollo de la vida está reservado a los que mejor establecen este contacto entre el cielo y la tierra. Todo aquello que está vivo y no tiene este contacto, este intercambio, esta comunicación, sufrirá, se marchitará y no podrá desarrollarse con normalidad, no podrá expandirse.

Ésta es una gran ley de la naturaleza que en nuestros días pasa casi desapercibida, y sin embargo nuestras vidas y nuestra salud dependen verdaderamente de ella. ¿Cómo podemos establecer este contacto? Una forma sencilla es llevar siempre zapatos de cuero, que es un producto natural, mientras que los de crepé y los de goma nos aíslan demasiado del suelo (salvo cuando llueve y los zapatos están empapados).

Así pues, una persona que trabaje en el interior de un edificio de hormigón que y que sólo contacte con el suelo un par de veces al día con sus zapatos de suelas químicas, tarde o temprano estará condenada a padecer diversos problemas, que podrán ser físicos o, también, psicológicos.

La tierra carga al ser humano de vida y el cielo le limpia de sus escorias electromagnéticas siempre que se establezca un contacto entre la tierra y el cielo que permita el paso de la corriente vital.

Siempre que podamos debemos practicar el Tai Chi Chuan en el exterior, en la naturaleza, con los pies descalzos sobre la tierra. La práctica adquiere de esta forma una nueva dimensión, que en realidad es una de las más importantes. Si la comunicación energética es valiosa para las plantas, cuanto más lo ha de ser para el ser humano, pues la planta sólo necesita el movimiento ascendente, mientras que el ser humano se desplaza verticalmente y a veces también horizontalmente. Nuestro esfuerzo es, pues, mayor, y hemos de pedir prestada una parte de nuestra fuerza a la Madre Tierra.

Tenemos un medio de comunicación natural con la tierra: el pie. Se trata de una parte esencial de nuestro cuerpo físico que muchas veces es descuidada e incluso maltratada con el paso de los años. En los países en que se anda descalzo no suele haber muchas personas con trastornos psicológicos.

La fuerza vital de la tierra asciende por el pie, y también la sexual; esto es así tanto para los hombres como para las mujeres.

A continuación propongo tres experiencias que se pueden realizar con los pies descalzos:

–caminar por la arena húmeda de la playa; esto asegura un excelente contacto con la tierra;

–caminar sobre el rocío de la hierba o del césped;

–caminar sobre tierra que ha sido labrada.

Estas tres experiencias proporcionan resultados bien distintos. Después de haberlas experimentado, analícelas y observe todo el beneficio interior que ha sacado de ellas. No puede imaginar la cantidad de problemas mentales que se curan mediante esta práctica de entrar en contacto con la tierra con los pies descalzos.

Imagine lo importante que es esta recarga de energía para gozar de buena salud y sobre todo para un practicante de Tai Chi Chuan. El nerviosismo desaparece gracias a este contacto. La frecuencia de la práctica ha de ser de al menos una vez a la semana. Si vive en una casa unifamiliar y tiene un sótano, ande descalzo por él; notará que se vuelve a poner en forma. Es algo que puede hacerse tanto en un sótano de un bloque de viviendas sociales como en el de un chalet.

Ha de saber que los zapatos con suelas de cuero, aunque no ofrezcan las ventajas de andar descalzo, al menos protegen de la intoxicación por falta de comunicación telúrica. Las impresiones que sacará de estas experienicas de mantener en contacto los pies con diferentes suelos, arenas o hierbas serán muy distintas y algunas pueden parecer incluso mágicas.

La dulzura

La postura ha de ser bien equilibrada y sin tensiones. Los movimientos son dulces y ágiles, sin brusquedad. Ésta es la razón por la que después de haber practicado la serie de ejercicios una o dos veces no hay sofocación, tan sólo una ligera transpiración y, sobre todo, un sentimiento de satisfacción.

La continuidad y la armonía

Desde el principio hasta el final todos los movimientos se suceden sin interrupción, con un ritmo lento y regular, como el de las nubes que flotan en el cielo azul, encadenándose unos con otros. Los movimientos se armonizarán con la conciencia cuando consigamos practicarlos sin pensar en nada.

Las posiciones corporales

La cabeza

Ha de mantenerse siempre erguida. La descripción "cabeza erguida con el cuello relajado" significa que la persona deberá mantener la cabeza erguida sin que se cansen los músculos del cuello y éste se podrá mover sin problemas.

El movimiento del cuello se ha de coordinar con los cambios de posición del cuerpo y del torso. La expresión del rostro ha de ser natural, el mentón está retraído y la boca cerrada con la punta de la lengua tocando el paladar, para que no se disipe la energía.

Cuando el cuerpo se mueve, los ojos han de seguir la mano hacia delante, a veces hacia atrás, sin fruncir el entrecejo.

El tórax
• El pecho y la espalda
"Mantenga el pecho y la espalda relajados" o "hunda el pecho y mueva únicamente los hombros" son los consejos que se suelen repetir durante las clases. Al practicar Tai Chi Chuan no hay que sacar ni retraer el pecho, sino adoptar una postura natural; efectivamente, cuando el pecho está alineado y la espalda relajada los músculos espinales se pueden estirar libremente, al igual que los brazos cuando están estirados durante el movimiento.

Mientras se mantiene esa postura hay que asegurarse de que los músculos pectorales estén relajados a fin de que no exista tensión en los costados que impida una respiración normal.

• La columna vertebral
Es el eje esencial del cuerpo humano al adoptar distintas posiciones como estar de pie, andar, sentarse, estirarse. Asimismo, en el Tai Chi Chuan, la columna tiene un papel importante para mantener el cuerpo erguido y cómodo.

Cuando vamos hacia delante o hacia atrás, cuando giramos o cuando pasamos de lo hueco a lo sólido (lo hueco es cuando la pierna está en descompresión y lo sólido es cuando la pierna está aguantando al cuerpo, es la pierna sobre la que recae todo el peso), se ha mantener la cintura relajada como si lleváramos el Chi hacia abajo. La relajación de la cintura también fortalece las piernas, de este modo afirma la base de la postura para permitir la flexibilidad y la integración del movimiento.

Hay que recordar que: al mantener la cintura relajada, la columna ha de seguir estirada con naturalidad para evitar un cansancio inútil del pecho o del vientre. Con el peso del cuerpo controlado en la cintura, todos los movimientos serán regulares y libres.

De este modo, se puede comprobar que el papel de la columna vertebral es primordial en la práctica del Tai Chi Chuan.

• Las caderas
Han de estar alineadas y se ha de evitar moverlas de un lado

a otro. Al igual que con la cabeza, conseguiremos adoptar la posición correcta de las caderas concentrando nuestra atención en ellas, no por la fuerza.

Las piernas

Son las que determinan la dirección del movimiento, distribuyen la fuerza y aseguran la estabilidad del cuerpo. Por eso, durante los ejercicios se ha de prestar atención a la forma de desplazar los pies y a la flexión de las piernas.

Al moverlas, las articulaciones de la cadera y de la rodilla han de estar libres para poder hacer movimientos rápidos hacia delante y hacia atrás. El movimiento de los pies siempre ha de ser ligero y sincronizado al subir y bajar.

Para avanzar, primero hay que poner el talón en el suelo y luego se instala todo el pie lentamente y con amor. Para ir hacia atrás se coloca la "palma" del pie en el suelo antes de apoyar todo el pie. Cuando se retira del suelo un pie, se ha de hacer como a disgusto.

Para dominar el cambio de posición de los pies se necesita saber mantener la atención.

En la posición del arco, la pierna doblada soporta el peso del cuerpo mientras que la otra, ligeramente levantada y tensa (aunque no por completo), reposa de forma natural sobre el talón y luego, gradualmente, sobre toda la planta del pie, avanzando hacia delante.

Los brazos

"Mantener los hombros bajos y los codos sueltos" quiere decir que estas articulaciones han de estar relajadas. Las articulaciones de los hombros y de los codos están estrechamente conectadas, lo que significa que cuando los hombros bajan, los codos se relajan automáticamente.

Durante el ejercicio, se ha de mantener la articulación del hombro relajada y baja. Los movimientos de inclinación, extensión o flexión de la mano, siempre han de ser suaves.

En la práctica, el movimiento de las manos es una continuación del de los hombros: nunca se han de poner o sacar con

brusquedad si se quiere que los movimientos estén bien contro-
lados, sean armoniosos y, sobre todo, flexibles, estables y sueltos.

Movimientos naturales y circulares

El estilo del Tai Chi Chuan se distingue de los otros por su movimiento único de las extremidades superiores, que al adaptarse a la
"curva natural" de las articulaciones del cuerpo evitan el impacto
directo y rígido. Estos movimientos redondos desarrollan armoniosamente todos los sistemas del cuerpo, así como una gracia natural.

Concordancia y coherencia

Durante la práctica, cada posición y movimiento, tronco, piernas, caderas, atención, respiración y extremidades han de formar
un todo. Ha de existir una coordinación perfecta en todo el cuerpo, donde la cintura es el eje principal. Incluso las manos y los
pies han de seguir al tronco sin dificultad.

La mente dirige todos los movimientos

Aparte de los reflejos, todas las actividades humanas, incluso
las deportivas, son dirigidas por la mente. De modo que al practicar Tai Chi Chuan, la mente (especialmente su poder de imaginación) es la que domina, dirige la atención del alumno, que está
completamente inmerso en su acción. Por ejemplo, en la "obertura", cuando los dos brazos se levantan, se ha de visualizar la
acción antes de realizarla. Cuando la mente ha finalizado el
movimiento, comienza el acto físico.

Cuando se desee retener el Chi (la respiración o su centro de
atención), se ha de visualizar "algo" que desciende hacia el abdomen. Durante todo el tiempo que la conciencia esté actuando, las
acciones han de seguirla como si estuvieran unidas a ella por un
cordel. Desde los movimientos de "obertura" hasta los de "cierre"

(cuando los brazos se recogen delante del pecho), todas las acciones las dirige la mente o más bien las imágenes mentales, y como dice el refrán: «la mente es el amo y el cuerpo su sirviente» o «el cuerpo sigue a la mente».

Se han de tener en cuenta dos principios:

–La calma: al principio, hay que estar en perfecta calma, la mente vacía, la cabeza erguida, el tronco y los brazos relajados y la respiración suave; no se debe iniciar ningún ejercicio de Tai Chi Chuan si no se cumplen estas condiciones, pues éste exige calma en la acción y acción en la calma para no ocasionar fatiga mental ni física.

–La concentración: además de estar en calma, se ha de saber dirigir la atención y ver cada movimiento conforme a las leyes esenciales del arte de la paz (ligereza, lentitud, dulzura); nunca se ha de dejar que la vista o la mente estén dispersos durante la práctica. Los principiantes suelen olvidar esta ley de la concentración, pero esto se puede remediar gracias a un entrenamiento regular. Cuando las acciones sigan a la mente de forma natural, cuando ambos estén en perfecta armonía, se habrá conseguido una gran fuerza.

La relajación

Relajación no quiere decir letargo, sino descompresión de ciertos músculos, soltura de ciertas articulaciones y movimientos, sin utilizar la fuerza.

La actitud correcta es mantener la columna vertebral erguida de forma natural, para que la cabeza, el tronco y las extremidades se puedan mover fácilmente; no es necesario inclinarse ni hacia delante, ni hacia atrás, ni hacia el lado. Se ha de mantener una posición correcta y estable, que denominamos una "fuerza bien regulada" o una "fuerza interna".

Cuando los brazos han de formar un círculo, se han de mantener en esa posición. Cuando la pierna se ha de flexionar, se ha de doblar correctamente realizando la fuerza justa, y los otros músculos han de estar relajados.

A los principiantes les resultará bastante difícil: tendrán que aprender a relajarse y a liberar las articulaciones de cualquier contractura para mantener flexibles los músculos. Para estar "relajados", deberán aprender a dominar paulatinamente su fuerza y a desplazarse con fluidez y en perfecta armonía.

Coordinar abajo y arriba para lograr armonía

En el Tai Chi Chuan un movimiento simple repercute en todo el cuerpo: la acción va del pie a la pierna y de allí al resto del cuerpo en completa armonía; esto es lo que llamamos coordinación.

Los principiantes han de saber que, en teoría, la región lumbar es el eje de la mayor parte de las acciones y que las extremidades han de seguir los movimientos del tronco. No obstante, debido a su falta de unión cuerpo-mente les resultará difícil conseguir una coordinación completa durante los ejercicios. Por esta razón es preferible comenzar por formas separadas como la "forma de obertura", "los brazos imitan el movimiento de las nubes", etc., a fin de coordinar el tronco y los brazos. Ciertos movimientos de los pies también son excelentes (el "paso abierto" o el "paso en arco") para reforzar los miembros inferiores, que sirven de apoyo, y para dominar las bases de los movimientos de los pasos. Cuando los alumnos puedan combinar los dos movimientos en uno solo durante las series enteras, también habrán dominado el arte de la coordinación y serán aptos para seguir avanzando en el Tai Chi Chuan.

ARMONÍA CON LAS CUATRO ESTACIONES

La primavera, cuidemos nuestro hígado

La naturaleza se despierta en primavera y revitaliza el organismo humano: las personas están más activas, el metabolismo se acelera. La circulación sanguínea y la nutrición se han de adaptar al aumento de estas actividades. El incremento de la circulación debe regularizarse; al comer más se necesita una buena digestión y asimilación. En la medicina tradicional china, estas funciones están muy relacionadas con el hígado. «El hígado almacena la sangre» y también se encarga de su distribución. Además, el estado mental y las emociones vinculados con el hígado afectan directamente a las funciones digestivas; de ahí la necesidad en primavera de regular las funciones hepáticas y tonificar el hígado.

Para cuidarlo, ante todo se ha de estar alegre, sosegado y abierto, como la naturaleza que renace. El abatimiento y la ira perjudican al hígado. Es recomendable hacer los ejercicios al aire libre para absorber la vitalidad desbordante de la naturaleza, mediante movimientos relajados y lentos, como los del Tai Chi Chuan, Chi Kung y Tao Yin. Dar largas caminatas por el bosque, escuchar el canto de los pájaros, contemplar el paisaje primaveral de los ríos, para de este modo respirar el aire más fresco posible y movilizar los músculos y los huesos.

Movimiento de gimnasia taoísta: rotación del tronco
Si lo realizamos al despertar por la mañana nos liberaremos rápidamente de la torpeza y del sopor, y nos sentiremos bien enseguida. Este ejercicio es muy aconsejable para la salud. Después de dormir toda la noche, el cuerpo se queda flácido, la circulación de la energía vital y de la sangre se ralentiza. La gimnasia taoísta despierta los músculos y, acompañada de una respiración profunda, reanima la circulación energética y sanguínea, moviliza las articulaciones, hace desaparecer la laxitud y despierta la mente. Según la medicina tradicional china «la sangre vuelve al hígado durante el sueño y circula por los vasos durante el movimiento del cuerpo». La gimnasia taoísta activa la circulación sanguínea, moviliza las extremidades, las articulaciones y los músculos, despierta la mente y reanima al hígado.

Las personas mayores que practican esta gimnasia mantienen la elasticidad de sus músculos y ligamentos y retrasan el envejecimiento.

1   2

• De pie con las piernas separadas, los brazos extendidos hacia delante a la altura de los hombros y las palmas de las manos hacia abajo, y girar la cintura lentamente y con fuerza hacia la izquierda y luego hacia la derecha, los brazos siguen el movimiento de rotación. (1 y 2)

• No exagerar el ángulo de rotación del tronco. Este movimiento activa la circulación de la energía vital y de la sangre, moviliza las articulaciones y desobstruye los meridianos y los vasos sanguíneos. Además favorece la circulación de la energía del hígado en los meridianos.

Mano "empujando"

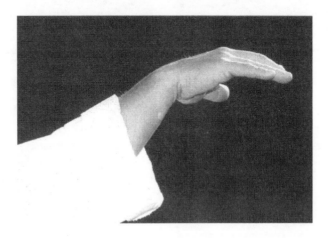

Mano "tirando".

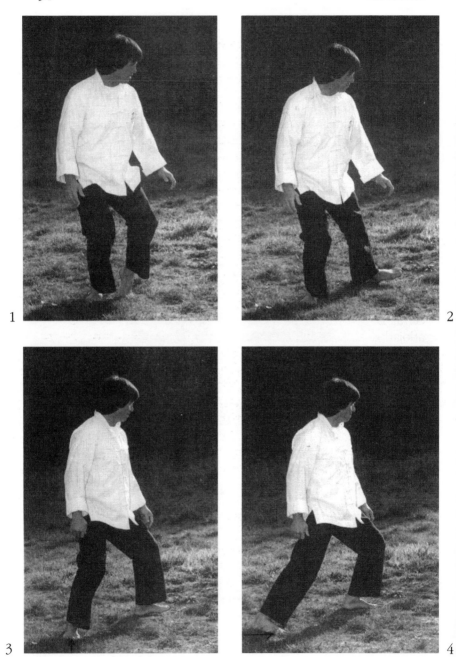

1

2

3

4

El pie atrasado gira sobre su eje cuando se realizan los empujes con las manos (1, 2, 3, 4).

El verano, la estación del corazón

El verano no sólo es la estación en la que la naturaleza se desborda de vida, sino también en la que el metabolismo está más activo. Se hacen más actividades al aire libre y se duerme menos puesto que los días son más largos, las noches son más cortas y hace calor. El organismo consume más energía, la circulación sanguínea es más rápida y se suda mucho; todo esto repercute en el funcionamiento del corazón. La medicina tradicional china tiene en cuenta todos estos cambios y recomienda cuidar especialmente el corazón, que en esta estación es más vulnerable a las enfermedades.

Hay muchas formas de hacerlo: acostarse tarde y levantarse pronto, tomar menos alimentos hipercalóricos, mantener la mente abierta y tranquila y practicar los siguientes ejercicios:

1. Sentado con la espalda erguida y los brazos entre los muslos, hacer respiraciones abdominales de forma regular y luego cerrar las manos en puños; apretarlos fuertemente al exhalar y aflojarlos al inhalar. Repetir el ejercicio siete veces. Con ése se regula la energía vital y la sangre. Al hacer fuerza para cerrar el puño, se produce el mismo efecto que un masaje en el punto Lao Gong (situado justo en medio de la palma de la mano).

2. Sentado con la espalda erguida, los brazos relajados, las manos sobre los muslos y los ojos semicerrados, respirar con regularidad con la boca medio cerrada. Permanecer en esta posición durante diez minutos. Tragar tres veces saliva a medida que se acumula en la boca. Apretar treinta y seis veces los dientes.

El otoño, fortalecer los pulmones

El proverbio dice: «Cuando empieza el otoño, no se necesita ya más ventilación». La temperatura baja progresivamente, debido a los cambios bruscos de tiempo y nos enfriamos con facilidad. La tos y el asma son más frecuentes, y las personas que los padecen tienen más riesgo de un brote.

Los ejercicios físicos están destinados principalmente a tonificar la energía vital de los pulmones.

1. Sentado con la espalda erguida, los músculos dorsales relajados, los ojos semiabiertos y los puños cerrados, golpear suavemente con los puños en el centro y a ambos lados de la espalda doce veces. Mientras se dan golpecitos se retiene la respiración y se abren y cierran las mandíbulas castañeando los dientes entre cinco y diez veces. A continuación tragar varias veces la saliva lentamente.

Se golpea con suavidad y en sentido vertical la zona media de la espalda (dorsal-lumbar) en los dos sentidos, dando golpecitos sobre la línea media y luego sobre los dos costados. Este ejercicio activa la energía vital de los pulmones, desbloquea los meridianos y los vasos de la espalda y previene las gripes y resfriados. Además, fortalece el estómago y tonifica los pulmones.

2. Al aire libre, en un lugar donde haya aire puro, sentarse y hacer respiraciones abdominales profundas. Se inhala por la nariz y se exhala lentamente por la boca apretando un poco los dientes y emitiendo un suave silbido, que es el sonido que produce el aire al pasar por entre los dientes. Este ejercicio se repite (la inhalación y la exhalación) veinticuatro veces. Su práctica regular cura el ahogo y la tos con expectoración y evita los resfriados.

Estos ejercicios practicados en otoño ayudan a prevenir los resfriados, a curar la tos y a fortalecer los pulmones. También son útiles en otras estaciones, sobre todo cuando hay tos crónica o debilidad pulmonar, para evitar una recaída.

El invierno, los riñones son los protagonistas

En invierno hace frío, la tierra se hiela, las plantas dejan de crecer, personas y animales están sometidos a la prueba de la naturaleza. En esta estación las funciones metabólicas se mantienen en los mínimos: las personas mayores o enfermas tienen las manos y los pies fríos; sienten frío y su cuerpo trata de obtener el calor que les falta a causa de una "deficiencia de energía térmica" debida a una ralentización del metabolismo.

En la medicina tradicional china, esta "energía térmica" representa la energía vital yang, que procede de los riñones, los cuales, según esta medicina, son los órganos que rigen las funciones genitales y representan la fuerza motriz de la vitalidad. Además, los riñones son el receptáculo donde se guarda la quintaesencia de las reservas nutritivas. Si vemos las cosas desde este punto de vista, los riñones son la fuente de la vida. El estado de salud de una persona depende del funcionamiento de sus riñones. En invierno el organismo necesita calor y mucha energía para hacer frente al frío. La deficiencia de la función renal conlleva inevitablemente una "deficiencia de la energía térmica", es decir, un debilitamiento de la energía vital yang, que se suele manifestar por estos síntomas: palpitaciones, sofoco, dolor, debilidad en las rodillas y en la región lumbar, astenia general, incontinencia o retención de orina.

Hay muchos métodos tradicionales para conservar la salud de los riñones. Veamos a continuación algunos de ellos:

1. Sentado con la espalda erguida y el torso desnudo, frotarse las manos hasta crear mucho calor y luego friccionar treinta y seis veces la zona media de la espalda verticalmente en ambos sentidos hasta notar calor. A continuación darse golpecitos con los puños treinta y seis veces sobre los riñones.

La zona lumbar es donde se encuentra el Ming Meng (del meridiano Du Mai o Vaso Gobernador) y los puntos Shenshu (23 V, Shu de riñón), Qihaishu (24 V) y Dachangshu (25 V, Shu de intestino grueso) del meridiano Tai Yang del pie (meridiano de vejiga). La fricción recalienta los riñones, refuerza y descomprime los músculos de la región lumbar y activa la circulación sanguínea.

2. De pie con los pies juntos, levantar las manos cruzadas por encima de la cabeza. Inclinar el tronco hacia delante, tocar el suelo con las manos, ponerse en cuclillas, abrazar las rodillas y exhalar de golpe sin hacer ruido. Repetir una docena de veces.

La práctica de este ejercicio en invierno tonifica la energía vital de los riñones.

Estos ejercicios practicados regularmente pueden aliviar y curar afecciones renales y de la vejiga, como dolor lumbar y en las rodillas, impotencia, leucorrea, deficiencia de energía vital, vértigos, etc.

LAS POSICIONES
DE LAS MANOS

Ejercicios para la sensibilidad y la fuerza de las manos

1. Con la palma de la mano derecha acariciar muy suavemente, sin apenas rozar, el dorso de la mano izquierda. Hacer lo mismo con la mano izquierda. 2. Con la punta de los tres primeros dedos de la mano derecha, acariciar sucesivamente todos los dedos de la mano izquierda empezando por el pulgar. Luego hacer lo mismo con los de la mano derecha. 3. Extender la mano derecha, fijar la atención en su centro, luego con suavidad, lentitud y conscientemente volver a cerrar los dedos concentrando toda la atención en este movimiento hasta cerrar el puño... Detenerse un momento y concentrar toda la fuerza en el puño, después abrirlo lentamente. Este ejercicio se ha de realizar con mucha atención, una sola vez es suficiente, no te vuelves más fuerte por hacerlo varias veces seguidas, sino practicándolo diariamente de la forma correcta. Esto mismo se repite con la mano izquierda.

Habéis de educar vuestras manos, aprender que cada dedo capta y transmite corrientes y ondas de distintas naturalezas. Son antenas.

En las manos se acumulan muchas impurezas y por eso es necesario lavarlas a menudo para que sean unas buenas antenas. Pero en realidad el agua física sobre nuestras manos físicas no puede lavarlas de verdad. Por eso, siempre que sea posible imagine que recibe una ducha de agua espiritual, una corriente de luz y de color de la máxima pureza, bajo la cual mantiene sus manos durante el máximo de tiempo posible.

Cuando practique el Tai Chi Chuan sus manos se moverán en el espacio; piense que están impregnadas de esa agua espiritual. Las sensaciones serán más fuertes y sobre todo más sutiles.

No crea que es en los ejercicios difíciles o espectaculares donde se guarda el secreto de la fuerza, porque donde realmente se oculta es en los ejercicios sencillos.

SEGUNDA PARTE:
LA PRÁCTICA

DESARROLLO DEL ENCADENAMIENTO

1. Preparación para el Tai Chi Chuang.
2. Inicio de la sesión.
El inicio del ejercicio simboliza el movimiento del sol por encima de la tierra, y es asimismo una imagen de las intenciones de progreso del hombre.
3. Separar la crin del caballo salvaje.
4. La grulla extiende sus alas.
La grulla simboliza la longevidad.
5. Acariciar la rodilla y dar un paso a la izquierda.
6. Acariciar la rodilla y dar un paso a la derecha.
7. Acariciar la rodilla y dar un paso a la izquierda.
8. Tocar la pipa (laúd chino).
9. Rechazar al mono.
Esta secuencia es la aplicación del gran ciclo celeste en movimiento. El gran ciclo celeste se refiere al movimiento durante el cual la circulación del Chi se describe con el desplazamiento de las manos.
10. Acariciar la cola del pájaro hacia la izquierda.
11. Acariciar la cola del pájaro hacia la derecha.
12. El látigo simple. El movimiento recuerda al de un látigo.
13. Las manos se mueven como nubes. Imitan la lentitud de la nube que se deshilacha con el viento del verano.
14. El látigo simple.
15. Acariciar al caballo. El caballo simboliza la libido, la ener-

gía indispensable para nutrir los dos aspectos del ser humano: el material y el espiritual.

16. Patada con el talón derecho.

17. Golpear las orejas del contrincante con los puños.

18. Patada con el talón izquierdo.

19. La serpiente que repta hacia la izquierda.

Aquí vamos a estudiar un gran símbolo. En los libros antiguos vemos que los iniciados han representado a la serpiente de tres formas: en primer lugar como una línea recta (en realidad, sinusoide); en segundo lugar, en forma de espiral, y por último, circular, la serpiente que se muerde la cola. Éstos son los símbolos más profundos.

Estas tres representaciones simbolizan el trabajo del auténtico practicante que ha de llegar a sublimar a la "serpiente", es decir a transformar la línea recta en un círculo. Todo esto es un proceso psíquico e intelectual, una práctica iniciática.

Al principio, la serpiente es una línea recta que "repta sobre la tierra". Cuando estamos en la posición de preparación representa la línea recta. A continuación, cuando se coloca vertical tiene la forma de espiral, es la columna vertebral; todos los movimientos de rotación de la cintura ("las manos imitan el movimiento de las nubes", "acariciar la rodilla derecha y la izquierda", etc.) fortalecen la columna, le dan energía y permiten que ésta ascienda en espiral.

Por último, se unirán sus dos extremos, la cabeza y la cola, para formar un círculo, es decir, entrar en los movimientos armoniosos, circulares, simétricos y creadores de la eternidad. Todas las emanaciones y energías se distribuyen de forma organizada y ya no hay lucha ni desarmonía entre ellas, todos los puntos de la periferia que están a una misma distancia del centro (Tan Tien) producen interferencias sublimes. El practicante que llegue a formar el círculo se volverá poderoso, incansable, perfecto como el Sol y vibrará en la eternidad.

20. El gallo de oro sobre una pata hacia la izquierda.

El gallo representa el orgullo, el oro simboliza la pureza. El ser humano, hasta el más malvado, siempre tiene la oportunidad de mejorar. Este movimiento simboliza a la persona que, desde el lado oscuro, es consciente de la luz gracias a un "orgullo" positivo y se levanta para dirigirse hacia la divinidad. La persona fuerte interna y externamente, se colocará sobre una pierna, pues está seguro de su equilibrio (se sobrentiende que es equilibrio interior y seguridad de la verdad).

21. La serpiente que repta hacia la derecha.
22. El gallo de oro sobre una pata hacia la derecha.
23. La joven doncella teje con la lanzadera hacia la derecha.
24. La joven doncella teje con la lanzadera hacia la izquierda.
25. La aguja en el fondo del mar.

Este movimiento simboliza los constantes esfuerzos por encontrar la verdad. En el transcurso de este movimiento, el Chi desciende hacia los órganos genitales.

26. El abanico.

Este movimiento representa la abertura hacia el centro. El Chi pasa por el entrecejo y por la parte superior del cráneo, luego desciende hasta el Tan Tien.

27. Girar y dar un puñetazo.
28. Dar un paso hacia delante, desviarse hacia abajo, parar y dar un puñetazo.
29. Cierre aparente.
30. Cruzar las manos.

LA FORMA SIMPLIFICADA
O FORMA DE PEKÍN

En general practicamos el Tai Chi Chuan en dirección a los polos magnéticos terrestres, es decir, mirando al sur o al norte. También podemos hacer los ejercicios de cara al sol naciente o a la luna. Los seres humanos tenemos una gran capacidad de adaptación y no hemos de limitarnos a las condiciones mencionadas. El éxito se consigue con la perseverancia. Para facilitar la comprensión de los ejercicios que vienen a continuación, optaremos por colocarnos en dirección a un norte imaginario.

Preparación para el Tai Chi Chuan

• De pie, con los pies juntos, los brazos cuelgan a lo largo del tronco, la punta de la lengua está tocando al paladar, la mirada fija en el horizonte (1).

1

• Flexionar ligeramente las rodillas y desplazar el pie derecho hacia la derecha abriendo los brazos.

• Éstos se cruzan delante del pecho y se separan de nuevo hasta la altura de los hombros (2, 3, 4, 5, 6).

2   3

4

5

6

• Bajar los brazos suavemente hasta que queden a ambos lados del tronco. Exhalar (7).

7

Beginning

Inicio del Tai Chi Chuan

• Ahora está con los pies paralelos, separados a la altura de los hombros, la pelvis basculada hacia delante, las rodillas ligeramente flexionadas, en línea con la punta de los pies. Sonría interiormente y dirija tu atención hacia el Tan Tien (punto energético situado a unos tres dedos por debajo del ombligo) (8).

• Con la inhalación levante los brazos lentamente a la altura de los hombros, con las palmas de las manos mirándose entre sí (9).

• Exhale bajando ligeramente los brazos, gire las palmas hacia el suelo y flexione las rodillas sin que sobrepasen la punta de los pies (10).

8

9   10

? the mane of the wild horse

Separar la crin del caballo salvaje

• El peso se traslada progresivamente hacia la pierna derecha. Flexiónela ligeramente, colocando la punta del pie izquierdo al lado del pie derecho. Sostenga una bola imaginaria entre sus manos. Inhale (11, 12).

11   1

A la izquierda:
• Con el pie derecho, dé un paso hacia delante y hacia la izquierda en dirección sudoeste, apoyando primero el talón.
• Lleve progresivamente el peso del cuerpo sobre la pierna izquierda y, al mismo tiempo, levante la mano izquierda a la altura de los ojos, por debajo de la rodilla izquierda, con la palma mirando hacia el interior. Baje la mano derecha a la altura de la cadera derecha, con la palma mirando hacia el suelo. La mirada sigue a la mano izquierda. Exhale (13, 14, 15, 16).

13

14

15

16

A la derecha: right

• Desplace el peso del cuerpo sobre la pierna derecha y gire sobre el talón izquierdo en dirección sudoeste (17, 18).

17   18

• La mano derecha y la mano izquierda sostienen un balón imaginario, el pecho mira hacia el sudoeste. Lleve el pie derecho hacia el pie izquierdo. Inhale (19).

• Con el pie derecho dé un paso hacia delante y hacia la derecha en dirección noroeste y traslade progresivamente el peso del cuerpo hacia la pierna derecha (20).

• Levante la mano a la altura de los ojos por encima de la rodilla derecha, con la palma de la mano mirando hacia dentro, la mano izquierda baja a la altura de la cadera izquierda.

• La mirada sigue el movimiento de la mano derecha (21).

• Recuerde que estos movimientos se realizan simultáneamente. Exhale.

19

20

21

A la izquierda:

• Desplace el peso del cuerpo sobre la pierna izquierda y gire sobre el talón en dirección noroeste (22).

• La mano izquierda y la derecha sostienen un balón imaginario, el pecho mira hacia el noroeste. Lleve el pie izquierdo cerca del derecho. Inhale (23).

22   23

• Dé un paso hacia delante y hacia la izquierda en dirección sudoeste con el pie izquierdo y traslade progresivamente el peso del cuerpo hacia la pierna izquierda (24).

• Levante la mano izquierda a la altura de los ojos por encima de la rodilla izquierda, con la palma de la mano mirando hacia dentro. Baje la mano derecha a la altura de la cadera derecha, con la palma en dirección hacia el suelo. La mirada sigue la mano izquierda. Exhale (25, 26).

24

25   26

The crane extends its wings

La grulla extiende sus alas

• En la posición anterior (26), desplace el pie derecho por detrás del talón izquierdo (27).

• Al mismo tiempo, la mano derecha baja hacia el Tan Tien y luego remonta hacia el hombro izquierdo, con la palma hacia dentro. La mano izquierda baja hacia la cara y pasa por delante del antebrazo derecho sin tocarlo (28).

• La mano derecha se desplaza ligeramente hacia delante y por encima de la frente, con la palma hacia afuera y ligeramente dirigida hacia el cielo. La mano izquierda baja a la altura de la cadera, con la palma hacia el suelo (29).

• La mirada fija en el horizonte.

• Todo el movimiento se realiza durante la inhalación.

Nota: observe bien el movimiento de "asentamiento", sirve para todos los demás.

27

28

29

Stroke the knee + take a step to the left

Acariciar la rodilla y dar un paso a la izquierda

• La mano derecha describe un semicírculo descendiendo hacia el ombligo (exhalación) y un semicírculo ascendente que llega hasta la oreja, con la palma hacia delante y la muñeca ligeramente curvada (30, 31).

30

31

2   33

• La mano izquierda describe un semicírculo descendente hacia el vientre, luego se eleva hacia el hombro derecho. El pie izquierdo se coloca al lado del derecho. (La pelvis no se mueve. Sólo se desplaza la cintura describiendo círculos de izquierda a derecha, sin mover las caderas.) La mirada se fija en la mano derecha. Inhale (32,33).

• El movimiento se hace simultáneamente.

34   35

36

• La pierna izquierda avanza con un paso hacia la izquierda manteniendo el talón en el suelo (34). (Observe en la foto cómo se coloca el cuerpo y cómo se desplaza el pie izquierdo.)

• Cuando el peso se coloca sobre esta pierna, la mano izquierda desciende hasta rozar la rodilla izquierda, en un movimiento de derecha a izquierda, con la palma hacia el suelo. Describa un movimiento horizontal y deténgase a mitad de la cadera y a la izquierda del cuerpo (35).

• Empuje con la mano derecha hacia delante, manteniendo la palma vuelta hacia el exterior y el codo ligeramente flexionado. Exhale (36).

• Durante este movimiento los ojos siguen a la mano derecha.

37   38

Acariciar la rodilla y dar un paso a la derecha

• Traslade el peso sobre la pierna derecha, levante los dedos del pie izquierdo y gire sobre el talón izquierdo 45 grados hacia el sudoeste. El peso se traslada progresivamente hacia la pierna izquierda y la punta del pie derecho se coloca al lado del pie izquierdo (37, 38).

39

4

41

4

• La mano izquierda describe un semicírculo ascendente que llega hasta la parte posterior de la oreja izquierda, con la palma hacia delante y la muñeca ligeramente curvada. La mano derecha describe un semicírculo descendente hacia el vientre y luego sube hacia el hombro izquierdo (39).
• Inhale. La mirada se dirige hacia la mano izquierda.
• Este movimiento se realiza simultáneamente.
• La pierna derecha da un paso hacia la derecha con el talón en el suelo (40).
• Cuando el peso lo soporta esta pierna, la mano derecha desciende rozando la rodilla, en un movimiento horizontal, y se detiene a mitad de la cadera y a la derecha del cuerpo. Empuje con la mano izquierda hacia delante, con la palma hacia el exterior y el codo ligeramente flexionado. Exhale (41, 42).
• Durante el movimiento, los ojos siguen a la mano izquierda.

Stroke knee + take a step to the left

Acariciar la rodilla y dar un paso a la izquierda

• Traslade el peso del cuerpo a la pierna izquierda, levante los dedos del pie derecho y gire sobre el talón unos 45 grados al noroeste. El resto del movimiento es idéntico al descrito anteriormente, pero con la pierna contraria (43, 44, 45, 46, 47, 48, 49).

43   4

45   4

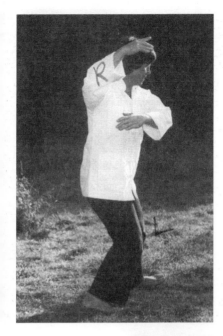

47　　　　　　　　　　　　　　　　　　　　　　　48

and
play the lute
L Knee Raised

49

Play the lute

Tocar la pipa (laúd chino)

• Levante la pierna derecha del suelo y llévela detrás del talón izquierdo, sin tocarlo, a una distancia que corresponda más o menos a la altura de los hombros. El peso se asienta suavemente sobre la pierna derecha, el talón izquierdo se levanta y se coloca en el mismo lugar, con los dedos levantados.

• Los brazos se aproximan, con la mano izquierda por delante de los ojos y la derecha por debajo, los dedos apuntando hacia el puño izquierdo (50, 51, 52).

50

51

52

reject the monkey

Rechazar al mono

A la derecha:
• Gire el cuerpo hacia la derecha. La mano se desplaza hacia atrás y se coloca en alto y a la derecha de la cabeza, con la palma hacia el cielo. La mano izquierda está ligeramente hacia delante, con la palma mirando hacia el cielo.
• El pie izquierdo, sobre todo la punta, permanece un poco levantado. La pierna derecha se halla bien apoyada.
• Mire la mano derecha. Inhala (53, 54).

53   54

• Traslade totalmente el peso del cuerpo a la pierna derecha. Levante el pie izquierdo y colóquelo al lado del tobillo derecho. La cintura continúa moviéndose hacia la derecha. Simultáneamente, la palma de la mano derecha se desplaza realizando una curva hacia atrás, hacia la derecha del hombro. La mano izquierda gira hacia el cielo. La mirada sigue el movimiento de la mano derecha (55).

• Dé un paso hacia atrás con el pie izquierdo, la punta es la primera en tocar el suelo. El centro de gravedad se desplaza progresivamente hacia la pierna izquierda hasta que el pie izquierdo se haya enraizado profundamente en el suelo (la punta del pie se orienta hacia el sudoeste) (56).

• El cuerpo gira suavemente hacia la izquierda y la punta del pie derecho hacia el oeste. La palma de la mano izquierda retrocede hasta colocarse delante de la cadera izquierda, mientras que la palma derecha empuja hacia delante, por encima de la mano izquierda, y se detiene a la altura del hombro derecho. Los ojos siguen la mano derecha. Exhale (57, 58, 59).

55   56

57

58

59

60   61

A la izquierda:
• Este movimiento es idéntico al anterior, pero esta vez orientado hacia la izquierda (60, 61, 62, 63, 64).

62

63

64

65   66

A la derecha por segunda vez (65, 66, 67, 68, 69).

67

68

69

70   7

A la izquierda por segunda vez (70, 71, 72, 73, 74).

72

73

74

Stroke the bird's tail to the left

Acariciar la cola del pájaro hacia la izquierda

a) Gire el torso hacia la derecha.

• Al mismo tiempo lleve en diagonal la mano derecha a la altura de los hombros con la palma hacia arriba, mientras que la palma izquierda gira hacia abajo. Mire la mano derecha (75).

75

b) Gire el cuerpo ligeramente hacia la derecha.

• Haga el gesto de "sostener un balón" delante de la parte derecha del pecho, la mano derecha está por encima. Al mismo tiempo, lleve el peso del cuerpo a la pierna derecha y acerque el pie izquierdo al derecho, colocando la punta del pie izquierdo en el suelo. Mire la mano derecha (76).

c) Gire un poco el torso hacia la mano izquierda.
• Adelante el pie izquierdo. Gire un poco más el cuerpo hacia la izquierda y flexione la pierna izquierda formando de este modo un "paso en arco", con la pierna derecha apenas flexionada (77, 78).

78

• Simultáneamente, adelante el antebrazo izquierdo arqueado a la altura del hombro, con la palma girada hacia fuera. La mano derecha desciende suavemente al lado de la cadera derecha, con la palma mirando hacia abajo y los dedos extendidos hacia delante. La mirada se dirige hacia la mano izquierda (79).

Observación:
Los dos brazos se mantienen arqueados aunque sólo se mueva uno.

Se ha de coordinar la separación de las manos, la flexibilidad de la cintura y la flexión de las piernas.

79

d) Gire ligeramente el torso hacia la izquierda.

• Extienda simultáneamente la mano izquierda hacia delante con la palma girada hacia abajo (80).

• Levante la mano derecha con la palma de la mano mirando hacia arriba, hasta que esté por encima del antebrazo izquierdo. Luego gire el torso hacia la derecha y desplace las dos manos de abajo arriba, como si describieran un arco delante del abdomen.

• El movimiento termina cuando la mano derecha llega en diagonal a la altura de los hombros con la palma girada hacia abajo y el antebrazo replegado hacia fuera. Al mismo tiempo, el peso del cuerpo se ha de desplazar hacia la pierna derecha. Mire la mano derecha (81)

81

Observación: mientras las manos están abajo, no incline el cuerpo hacia delante, ni saque las nalgas hacia fuera. Los brazos han de seguir el trayecto circular coordinados con el movimiento de la cintura.

e) Gire el torso ligeramente hacia la izquierda.
• Flexione el brazo derecho y coloque la mano derecha sobre la cara interna de la muñeca izquierda. Continúe girando el torso hacia la izquierda (82).

82   8:

• Adelante las dos manos lentamente con la palma derecha girada hacia delante y la izquierda hacia el interior mientras el brazo izquierdo permanece arqueado. Durante este tiempo, lleve progresivamente el peso del cuerpo sobre la pierna izquierda formando un "paso en arco".
• La mirada se dirige hacia la mano izquierda (83).
Observación: mantenga el torso erguido mientras adelanta las manos, cuyos movimientos han de estar coordinados con la detención de la cintura y la flexión de la pierna.

f) Gire las palmas hacia abajo.

• La mano derecha pasa por encima de la muñeca izquierda y se desplaza hacia delante y luego hacia la derecha, hasta que se sitúa al nivel de la mano izquierda. Separe las manos a una distancia a la altura de los hombros y asiéntase llevando el peso del cuerpo sobre la pierna derecha, que estará ligeramente flexionada (84).

85

• En este momento, los dedos del pie izquierdo se levantan por encima del suelo. Lleva hacia atrás las manos hasta colocarlas delante del abdomen, con las palmas ligeramente vueltas hacia abajo y hacia delante. Mire hacia el infinito (85).

86

g) Traslade lentamente el peso del cuerpo hacia la pierna izquierda (86).

• Al mismo tiempo extienda las manos hacia delante, hasta que las muñecas estén a la altura de los hombros, y flexione la pierna izquierda, formando un "paso en arco".

• Mire hacia delante (87).

stroke the bird's tail to the right

Acariciar la cola del pájaro hacia la derecha

• Asiente la postura y gire el torso hacia la derecha. Llevando el peso del cuerpo hacia la pierna derecha, gire los dedos del pie izquierdo hacia dentro (88).

88   89

• Con la mano derecha, describa un arco horizontal hacia la derecha, luego bájela hasta que quede delante del abdomen, en el lado izquierdo, con la palma mirando hacia abajo (89).

• Haga el gesto de "sostener un balón", con la mano izquierda encima. Mientras tanto el peso del cuerpo recae sobre la pierna izquierda. Coloque el pie derecho al lado del izquierdo con el talón levantado. La mirada se fija en la mano izquierda (90).

• Repita los movimientos descritos en el párrafo c), invirtiendo los términos "derecha" e "izquierda" (91, 92, 93).

90

• Repita los movimientos descritos en el párrafo d), invirtiendo los términos "derecha" e "izquierda" (94, 95).

• Repita los movimientos descritos en el párrafo e), invirtiendo los términos "derecha" e "izquierda" (96, 97).

• Repita los movimientos descritos en el párrafo f), invirtiendo los términos "derecha" e "izquierda" (98, 99).

• Repita los movimientos descritos en el párrafo g), invirtiendo los términos "derecha" e "izquierda" (100, 101).

91

92

93

94

9

96

9

98

99

100

101

Put the weight on the left leg. The hands are raised gently upward in a circle.

110 La práctica

The simple whip

El látigo simple

• La mano izquierda describe aquí una figura de látigo. Este movimiento es difícil de dominar. Lleva el peso del cuerpo sobre la pierna izquierda. Las manos describen un círculo ligeramente ascendente hacia el oeste (con la palma hacia delante) y siguen la rotación de la pelvis que gira hasta colocarse de cara al oeste (102).

102   1

• La pierna derecha gira sobre el talón y también hacia el oeste. La mirada sigue el antebrazo izquierdo y al final queda fijada en la mano derecha (103).

The right leg turns on the heel. The gaze follows the left forearm & ends up fixed on the right hand.

Put the weight of the body towards the right leg.

Single whip - right hand.

• Lleve el peso del cuerpo hacia la pierna derecha. Al mismo tiempo la mano derecha describe un círculo descendente y luego ascendente hasta llegar a la altura del hombro derecho. Los dedos cerrados miran hacia abajo y el codo permanece ligeramente flexionado.

105

• Este movimiento se ha de realizar como si se tuviera un hilo atado a la muñeca derecha y ésta fuera levantada por una mano invisible. La mano cae inerte en gancho

• La mano izquierda se coloca cerca de la axila derecha con la palma mirando hacia dentro y el codo flexionado. Fije la mirada sobre la mano derecha. La punta del pie izquierdo se acerca a la del derecho (104, 105).

Turn the torso towards the west, with
the left hand making a circular
movement from right to left and it
ends up in front of the face. The left foot
is moved forward + beside the right foot.
Heel first on floor

• Gire el torso hacia el oeste, la mano izquierda hace un movimiento circular de derecha a izquierda y se queda delante de la cara. Al mismo tiempo, el pie izquierdo se desplaza hacia delante y a la izquierda del pie derecho, colocando en primer lugar el talón en el suelo (106).

106

• El peso del cuerpo se traslada progresivamente hacia la pierna izquierda y hacia el oeste. La mano izquierda con la palma hacia afuera empuja también hacia el oeste y se mantiene a la altura del hombro con el codo flexionado. La mirada sigue la mano izquierda (107).

Move weight to left leg. Left hand -
palm pushing out at shoulder height
with elbow flexed. Gaze to left hand.

The hands move like clouds

Las manos se mueven como nubes

Turn L heel towards R + body towards N.

• Gire el talón izquierdo hacia la derecha y el cuerpo hacia el norte. El peso recae sobre la pierna derecha. Estira los dedos de la mano derecha, la izquierda se coloca bajo la axila derecha (108, 109).

The weight on R leg. Stretch out fingers of R hand

+ the Left hand towards R side cloak

[Handwritten notes: Move weight towards L leg. L hand circles upward moves el pass in front of & stops left shoulder — towards R]

• Traslade el peso del cuerpo hacia la pierna izquierda. La mano izquierda hace un movimiento circular ascendente, pasa por delante de los ojos y se detiene delante del hombro izquierdo. La derecha, arrastrada por la pelvis, realiza un movimiento circular descendente hacia la izquierda y se detiene debajo de la axila (110).

[Handwritten note: circles too moves towards left]

110

• El pie derecho da un paso lateral sobre la misma línea que el pie izquierdo y se detiene al lado de éste. El peso se reparte entre las dos piernas, ligeramente flexionadas. La mano derecha realiza un movimiento circular ascendente, pasa por delante de los ojos y se detiene delante del hombro derecho. La mano izquierda hace un movimiento circular descendente hacia la derecha y se para debajo de la axila derecha (111, 112, 113, 114).

[Handwritten note: R foot 1 step sideways — same ideas as left R equal weight]

112

114

Bodyweight onto Left +
R. moves

• El peso del cuerpo se desplaza hacia el pie izquierdo. Dé un paso lateral con el pie derecho en la misma línea que el pie izquierdo. La mano izquierda describe un círculo hacia arriba pasando por delante del hombro izquierdo, con la palma de la mano hacia dentro. Simultáneamente la mano derecha, en un movimiento circular, se coloca debajo de la axila izquierda (115).

115

• El pie derecho se aproxima al izquierdo. Ambos están ligeramente flexionados. Simultáneamente la mano derecha describe un movimiento circular ascendente, pasa por delante de los ojos y se detiene delante del hombro derecho. La mano izquierda hace un movimiento circular descendente y se para debajo de la axila derecha (116, 117).

116   117

• Repita los mismos movimientos. Tres veces en total (118, 119, 120, 121). Cuente uno cada vez que vuelve a la derecha, es decir cuando la mano derecha mira hacia el hombro derecho y la mano izquierda se encuentra por debajo de la axila derecha.

• Durante todas estas rotaciones el tronco permanece recto, el cuerpo bien "asentado" con las rodillas flexionadas, pero la cintura gira ligeramente a la izquierda y a la derecha. Observe detenidamente los movimientos de la cintura en las fotos.

The simple whip

El látigo simple

• El peso del cuerpo reposa sobre la pierna derecha. Los dedos de la mano derecha se reúnen en punta mirando hacia abajo. La mano izquierda se levanta hasta la altura de la axila derecha. El pie izquierdo se eleva. El cuerpo gira un poco hacia la izquierda (122).

122

• Simultáneamente la mano izquierda se levanta, pasa por delante de la cara y se detiene, la palma de la mano mira en dirección al hombro derecho. Dé un paso hacia delante con la pierna izquierda, apoyando el talón antes que el resto del pie. El pie izquierdo carga progresivamente con todo el peso del cuerpo y la mano izquierda, con la palma hacia fuera, empuja hacia el oeste. La mirada sigue el movimiento del brazo ligeramente extendido (123, 124).

123

Stroke the horse

Acariciar al caballo

• Desplace el pie derecho hasta colocarlo detrás del talón izquierdo (el espacio de separación entre las piernas ha de ser aproximadamente igual al ancho de los hombros) y traslade poco a poco el peso del cuerpo a la pierna derecha mientras la mano izquierda, con la palma mirando hacia el cielo, se aproxima ligeramente al pecho y la mano derecha se abre. Abra la mano derecha con la palma mirando hacia delante. Levante el talón izquierdo de modo que quede mirando hacia el suelo (es decir, con la punta de los dedos apoyados en el suelo) (125).

• Deslice la mano derecha por encima de la mano izquierda a unos 10 centímetros de ésta; la mano derecha describe un movimiento circular de izquierda a derecha y termina su recorrido delante de la mano izquierda a la altura del hombro. La mirada ha seguido a la mano izquierda y luego a la derecha (126, 127, 128).

5   126

7   128

A step with the left heel

Patada con el talón derecho

• Dé un paso hacia delante unos 45 grados a la izquierda con el pie izquierdo y luego traslade sobre él el peso del cuerpo. A continuación realice un pequeño círculo vertical con la mano izquierda en dirección hacia la derecha de modo que quede sobre la mano derecha (129, 130).

• Las manos se quedan a la altura del pecho, con la palma de

129

la mano izquierda hacia dentro y la de la derecha hacia fuera (131).

• Abra los brazos hacia el exterior. El izquierdo en alto, a la altura de los hombros, y el derecho por encima de la rodilla derecha, con las palmas mirando hacia afuera. Levante la pierna derecha al mismo tiempo y dé una patada con el talón en dirección oeste, sin estirar del todo la pierna (132, 133).

131

2

133

Punch the ears of the rival with the fists

Golpear las orejas del contrincante con los puños

• Haga una rotación del cuerpo hacia la derecha en dirección al noroeste. Deje caer la pierna derecha, muslo en horizontal. Baje las manos hasta que queden a ambos lados de la rodilla, con las palmas hacia arriba (134).

134

136

• Las manos acompañan a la rodilla derecha en su descenso. Cuando el talón derecho toca el suelo, las manos se cierran y se separan elevándose. Flexione la rodilla derecha y desplace el peso del cuerpo al pie derecho.

• Al mismo tiempo lleve las manos delante de la cara, como si fuera a golpear las orejas de un adversario (135, 136).

A step with the left heel

Patada con el talón izquierdo

• Traslade progresivamente el peso del cuerpo sobre la pierna izquierda y haga una rotación hacia la izquierda girando sobre el talón derecho. Al mismo tiempo abra los puños.

137

• El cuerpo se encuentra ahora en dirección sudoeste (137).
• Cruce las manos por delante del pecho (mano izquierda por fuera con la palma mirando hacia dentro) mientras el peso del cuerpo descansa sobre el pie derecho. La punta del pie izquierdo apoyada en el suelo queda por delante del pie derecho (138).

9   140

• Abra los brazos hacia fuera, el brazo derecho en alto, a la altura de los hombros, el brazo izquierdo hacia abajo, a la altura de la rodilla, las palmas están giradas hacia afuera. Levante la pierna y dé una patada con el talón hacia el sudoeste (139, 140).

The snake that creeps to the left

La serpiente que repta hacia la izquierda

• La mano derecha se coloca progresivamente en forma de gancho mientras se lleva la mano izquierda delante del hombro derecho y el pie izquierdo se acerca al derecho (141).

141

42
143

• A continuación, realice un deslizamiento en el suelo hacia delante, con la pierna izquierda, y baje el brazo izquierdo hacia el interior de la tibia (142, 143).

• Los ojos siguen el movimiento de la mano izquierda.

144

145

14

The golden rooster on 1 leg to the left

El gallo de oro sobre una pata hacia la izquierda

• Levántese y lleve el peso del cuerpo a la pierna izquierda. Gire el pie izquierdo hacia la izquierda, abra la mano derecha y con un movimiento circular colóquela delante de los ojos. Al mismo tiempo, baje la mano izquierda, con la palma mirando hacia el suelo, a la altura de la cadera izquierda (144).

• Levante simultáneamente la pierna derecha, con la rodilla flexionada, y colóquela en suspensión delante del cuerpo, con la punta del pie hacia abajo (145, 146).

The snake that creeps to the right

La serpiente que repta hacia la derecha

• Coloque la punta del pie derecho al lado del pie izquierdo y gire un poco la punta de éste hacia la izquierda.

• Al mismo tiempo, la mano izquierda se coloca en forma de gancho y se pone la derecha delante del hombro derecho (147).

147

• Haga un deslizamiento suave en el suelo, hacia delante, con la pierna derecha, baje el brazo derecho y llévelo cerca del interior de la tibia (148, 149).

148

149

The golden rooster on 1 leg to the right

El gallo de oro sobre una pata hacia la derecha

• Levántese y traslade el peso del cuerpo hacia la pierna derecha. Gire el pie hacia la derecha, abra la mano izquierda y colóquela delante de los ojos, con un movimiento circular. Al mismo tiempo, baje la mano derecha, con la palma vuelta hacia el suelo, a la altura de la cadera derecha (150, 151).

• Levanta la pierna izquierda simultáneamente con la rodilla flexionada y colóquela en suspensión delante del cuerpo, con la punta del pie hacia abajo (152).

150

51

152

The young maiden weaves with the loom to the right

La joven doncella teje con la lanzadera hacia la derecha

• Coloque el pie izquierdo en el suelo, haciendo que el peso del cuerpo recaiga progresivamente sobre él y luego coloque el pie derecho al lado del izquierdo.

• Al mismo tiempo, las manos sostienen un balón imaginario, con la mano izquierda a la altura de los hombros, por encima de la mano derecha (153, 154).

• Desplace el pie derecho en dirección sureste, apoyando primero el talón. Al mismo tiempo, el peso se traslada hacia la pierna derecha. Levante la mano derecha hasta colocarla por debajo de la frente, con la palma girada hacia fuera y el brazo flexionado (155, 156, 157).

• El movimiento de empuje con la mano izquierda se hace de abajo arriba, por delante del hombro izquierdo (158).

• La mirada se fija en la mano izquierda.

55

156

57

158

The young maiden weaves with the loom to the left

La joven doncella teje con la lanzadera hacia la izquierda

• El peso del cuerpo se traslada lentamente hacia la pierna izquierda y el talón derecho gira ligeramente hacia la derecha (159).

• Poco a poco la pierna derecha vuelve a aguantar el peso del cuerpo, mientras la punta del pie izquierdo se coloca al lado del pie derecho y las manos sostienen un balón imaginario, con la mano derecha por encima de la izquierda (160, 161).

• Dé un paso en diagonal, en dirección nordeste y lleve el peso hacia el pie izquierdo. Levante la mano izquierda por debajo de la frente y empuje hacia afuera, con el brazo flexionado. El movimiento de empuje con la mano derecha se hace de abajo arriba, por delante del hombro derecho (162, 163, 164).

• La mirada se fija en la mano derecha.

159

61

162

53

164

The needle at the bottom of the sea

La aguja en el fondo del mar

• El pie derecho se desplaza ligeramente hacia la izquierda y se coloca detrás del talón izquierdo (la separación entre ambos pies es la misma que la distancia entre los hombros). El peso se instala progresivamente sobre la pierna derecha.
• Lleve la mano derecha hacia atrás, con los dedos mirando hacia el suelo (165, 166).
• La mano izquierda se acerca un poco al pecho, con la palma hacia el suelo. Empuje la mano derecha hacia abajo verticalmente a unos 45 grados y a la altura de la tibia derecha.
• Vuelva a llevar la mano izquierda a la altura de la cadera, con un movimiento horizontal, de derecha a izquierda, con la palma vuelta hacia el suelo. La mirada sigue a la mano derecha en un movimiento descendente (167, 168).

Observación: procure "curvar" bien la columna vertebral cuando se incline para hacer este movimiento, respetando el siguiente orden: lumbares, dorsales, cervicales.

65

166

67

168

169

170

171

El abanico ~~The Jan~~

• Enderece ligeramente el tronco y levante las manos. Coloque la mano derecha un poco por encima de la cabeza, con la palma hacia fuera y la mano izquierda a la altura del pecho, con la palma hacia fuera (169, 170).

• Traslade el peso del cuerpo hacia la pierna izquierda y empuje con la mano izquierda hacia delante. La mirada se fija en la mano izquierda, en su movimiento de empuje (171).

'2   173

Girar y dar un puñetazo ~~Turn around and punch~~

• El pie izquierdo gira a la derecha (sur) sobre el talón y el cuerpo también.

• La mano izquierda se aproxima con un movimiento circular ascendente, por encima de la frente, con la palma hacia fuera, y la mano derecha baja por delante del vientre describiendo un movimiento circular descendente, cerrando el puño en dirección hacia el suelo (172, 173).

Take a step forward, then go downwards, stop + punch

Dar un paso hacia delante, desviarse hacia abajo, parar y dar un puñetazo

• Continuando con el movimiento, el tórax sigue girando hacia la derecha (oeste) y el pie izquierdo gira sobre el dedo gordo, también hacia la derecha (174).

174

• El puño derecho asciende en un movimiento circular y luego desciende y se detiene a la altura del pecho.
• La mano izquierda sigue el movimiento y se detiene a la altura del codo derecho, con la palma hacia el suelo.
• El pie derecho se desplaza a la derecha, con el talón en el suelo y los dedos en dirección noroeste (175, 176).
• Poco a poco el peso del cuerpo se va trasladando hacia la pierna derecha, mientras el puño derecho describe un movimiento circular, de izquierda a derecha, se hunde hacia el suelo y se coloca a la altura de la cintura.
• La mano izquierda hace un movimiento horizontal, como de parar, y se coloca delante del hombro derecho, con la palma hacia el norte (177, 178).

75

176

77

178

• Adelante la pierna izquierda y descargue su peso sobre ella. El puño derecho empuja hacia delante y la mirada lo sigue. La mano izquierda se eleva y se coloca delante del codo derecho, con la palma hacia el norte (179, 180).

179   1

Cierre aparente   close 7

• La mano izquierda se desliza por debajo de la muñeca derecha, con la palma hacia el suelo, y el puño derecho se abre suavemente como una flor (181,182).

• Separe ambas manos de modo que queden alineadas a la altura de los hombros, lleve los brazos hacia atrás trasladando progresivamente el peso hacia la pierna derecha y levantando los dedos del pie izquierdo.

• Las manos bajan hacia el pecho, con las palmas hacia delante, mientras la mirada sigue el movimiento de las manos (183).

• Empuje con las manos hacia delante, como si lo hiciera con el vientre y llevando paulatinamente el peso del cuerpo hacia la pierna izquierda. La mirada sigue el "empuje de las manos" y al final queda fija en el horizonte (184).

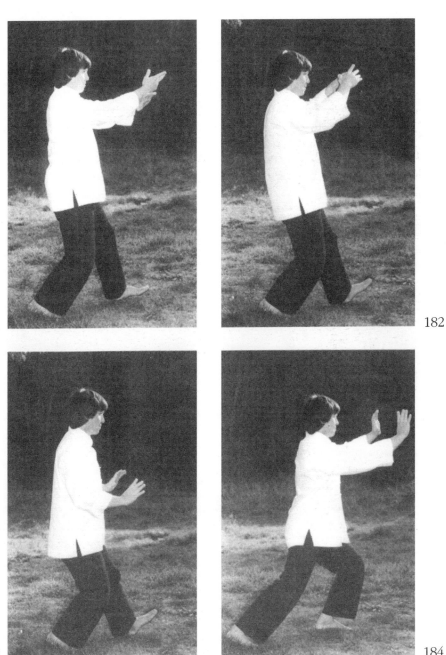

31

182

33

184

Cross the hands

Cruzar las manos

• Gire hacia la derecha (norte) con el talón izquierdo al tiempo que gira también el tronco en la misma dirección. El peso se desplaza hacia la pierna derecha. Las manos realizan al mismo tiempo un movimiento circular hacia el norte (185).

• Separe los brazos describiendo un semicírculo a cada lado del pecho, las palmas miran al norte. Gire al mismo tiempo hacia la derecha sobre el talón derecho (186).

• La mirada se fija en la mano derecha. A continuación, el peso se traslada progresivamente hacia la pierna izquierda (187).

185

187

• Coloque el pie derecho paralelo al pie izquierdo, en dirección hacia el norte, y separados a la altura de los hombros, cruce las manos, la mano izquierda por dentro mirando hacia el cuello, a unos 25 centímetros de ésta.

• Ahora está mirando hacia el norte en una posición equilibrada, con las rodillas flexionadas, el tronco erguido y los pies paralelos (188, 189).

• Separe los brazos a la altura de los hombros, con las palmas hacia el suelo. Bájelos suavemente hasta los muslos.

• Permanezca unos instantes en esta posición, para aprovechar mejor este maravilloso instante en que el cuerpo, la mente y la energía son uno (190, 191).

188

1

CÓMO PROBAR LA EFICACIA DE UN MOVIMIENTO

Acariciar la cola del pájaro

• Posición incorrecta: puesto que si le empujaran perdería el equilibrio. La mano derecha está demasiado hacia dentro, demasiado hacia fuera o demasiado baja (1 y 2).

• Posición correcta: la mano izquierda se coloca por encima de la rodilla, el pie derecho apenas ha girado hacia el interior, la pelvis está bien girada a tres cuartos. Así puede resistir una fuerza de empuje bastante fuerte (3, 4).

Observación: el Tai Chi Chuan es un arte del movimiento. Por esto las posiciones "de fuerza" se han de realizar en la continuidad de los movimientos, sin interrupción: gestos precisos y buena circulación del Chi.

1

2

3

4

1

El látigo simple

• Posición incorrecta: el pie derecho describe un ángulo hacia la derecha, la mano izquierda está demasiado baja o el brazo izquierdo está extendido, se produce desequilibrio (1, 2).

2

3

• Posición correcta: pie derecho un poco girado hacia el interior, con la mano izquierda a la altura del hombro (como si un
rayo saliera de la punta del hombro y atravesara el centro de la
mano izquierda) y el brazo izquierdo ligeramente flexionado;
equilibrio perfecto, hay Chi (3, 4).

4

1

La grulla extiende sus alas

• Posición incorrecta: la mano derecha está demasiado desplazada hacia la derecha (1, 2).

2

3

• Posición correcta: la mano derecha está colocada a la izquierda (3, 4).

4

5

• Posición correcta: la mano derecha se sitúa por encima de la rodilla derecha. Es más sólida (5, 6).

6

APLICACIONES MARCIALES

Separar la crin del caballo salvaje

- En solitario (1).

1

• En pareja (1, 2, 3, 4).

1

2

3

4

La grulla extiende sus alas

- En solitario (1, 2, 3, 4, 5, 6).

1

2

3

4

5   6

• En pareja (1, 2, 3, 4).

1

2

3

4

Tocar la pipa (laúd chino)

• En solitario (1).

1

• En pareja (1, 2, 3, 4).

1

2

3

4

Rechazar al mono

• En solitario (1).

1

• En pareja (1, 2).

1

2

Acariciar la cola del pájaro

Empujando:
• En solitario (1).

1

• En pareja (1, 2).

1

2

Tirando:
• En solitario (1).

1

• En pareja (1, 2).

1

2

Las manos se mueven como nubes

• En solitario (1).

1

• En pareja (1, 2).

1

2

1

Patada con el talón derecho

* En solitario (1).

2

• En pareja (2, 3, 4).

3

4

La serpiente que repta y el gallo de oro sobre una pata

• En solitario (1, 2, 3).

1

2

3

• En pareja (1, 2, 3, 4).

1

2

3

4

La joven doncella teje con lanzadera hacia la derecha

• En solitario (1).

1

• En pareja (1, 2).

1

2

1

El abanico, girar y dar un puñetazo
• En solitario (1, 2).

3

• En pareja (3, 4, 5).

4

5

CÓMO RESPIRAR BIEN PARA LLENAR EL CUERPO DE UNA CANTIDAD PRODIGIOSA DE CHI

Experiencia transversal

• De pie, con los pies separados a la altura de los hombros, la espalda erguida y suelta, las rodillas ligeramente flexionadas, la punta de la lengua tocando el paladar (1).

1

2   3

• Separe los brazos de los costados manteniendo la rectitud del tronco y eleve las manosa la altura de los hombros. Inhale (2).

• Exhale bajando los brazos hasta los costados del tronco. Éste se afloja ligeramente (3).

• Durante la inhalación y la exhalación, imagine que va a activar su Chi a lo ancho, como si la energía siguiera el "eje transversal".

• El diafragma activado por el Chi moverá y drenará los líquidos corporales, especialmente a lo ancho, como si fuera una marea que fluyera (va y viene) a lo ancho de su cuerpo.

• Poco a poco el cuerpo se sentirá esculpido por esta marea interior, como las mareas y las olas hacen sobre la tierra, purificando y limpiándolo todo a su paso.

• Repita esta respiración siete veces.

Experiencia longitudinal

• En la misma posición que antes, coloque las manos con las palmas hacia arriba, delante de los muslos (1).

• Levante los brazos hacia los hombros inhalando (2).

• A continuación, gire suavemente las manos con las palmas hacia el suelo y bájelas exhalando hasta los muslos (3).

1

• Practíquela siete veces.

• La misma experiencia que antes, pero ahora activando el Chi a lo largo del "eje longitudinal": el diafragma se sensibilizará y obedecerá a las energías, el cuerpo será "esculpido" por las mareas longitudinales.

2

3

Experiencia de profundidad

• Igual que en la posición anterior (1).
• Levante las manos hasta la altura de los hombros mediante un movimiento circular, de afuera hacia dentro. Inhale estirando un poco las piernas (2).
• Exhale empujando con las dos manos hacia delante y flexionando ligeramente las piernas (3).

1

• Inhale llevando las manos a la altura de los hombros, etc., siete veces.
• Ahora intente activar el Chi a lo largo del "eje de profundidad": sentirá con fuerza las mareas internas entre la cara (exhalación) y la espalda (inhalación).

2

3

Experiencia del infinito o del círculo

• Después del movimiento anterior, coloque las manos delante del Tan Tien (a unos tres dedos por debajo del ombligo) procurando que se toquen los dedos corazón.
• Observe las manos (1).

1

• Inhale levantando los brazos, la mirada sigue el movimiento de los brazos.
• Estire ligeramente las piernas (2, 3, 4).

2

3

4

5

6

7

• Exhale bajando los brazos. Los dedos corazón se volverán a unir delante del Tan Tien, la mirada seguirá su trayecto. Las piernas se se mantienen un poco flexionadas (5, 6, 7).
• Repítalo siete veces.
• Durante esta respiración se debe ser consciente del infinito, del círculo ilimitado.

8   9

• Tras haber realizado siete veces este ejercicio, (cuando los brazos se encuentran encima de la cabeza) llévelos hacia los costados (8, 9).

10

12

• Gire las manos hacia el cielo, levántelas a la altura de la cabeza y coloque las palmas de cara a la frente (10, 11, 12, 13).

15

• Gire las palmas hacia el suelo y bájelas hasta colocarlas delicadamente sobre el Tan Tien.
• Cierre los ojos durante unos instantes antes de volver a abrirlos. Ha llevado el Chi a su centro vital (14, 15).
• Las cuatro respiraciones se encadenan armoniosamente y sin interrupción.

UTILIZACIÓN DE ALGUNOS MOVIMIENTOS EN TERAPÉUTICA

Durante la ejecución de estos movimientos es muy importante acompasar bien la respiración: profunda, larga, lenta, fina y regular. Esta forma de respirar permite a los glóbulos rojos llevar más oxígeno para nutrir los órganos internos. Cada movimiento se ha de realizar doce veces para conseguir un buen resultado.

Inicio de la sesión de Tai Chi Chuan

- Regular la respiración (realizarlo doce veces) (1, 2, 3).
- El equilibrio del yin y el yang permite una buena circulación de la energía y de la sangre por los meridianos.
- Con este movimiento el cuerpo se relaja, la mente se calma, la corteza cerebral es sometida a una inhibición protectora y mejoran las funciones de los distintos centros que controla.
- Este ejercicio es muy útil para combatir y curar diversas enfermedades crónicas latentes en el cerebro, calmar la mente y lubrificar las articulaciones.
- Durante la práctica es necesario concentrarse en el Tan Tien (punto situado a tres dedos debajo del ombligo), que es un centro de energía muy poderoso.

1

2

3

1

2

Acariciar la rodilla y dar un paso a la derecha

• Este movimiento muestra la fuerza interna del empuje de la mano. Por "fuerza interna" entiéndase "ayudar con las manos a la concentración de la mente" para conducir conscientemente el Chi donde se quiera llevar y para que éste llegue a su destino.

• Este ejercicio tiene efectos favorables sobre las funciones de los meridianos, los tendones y las vísceras. Trata la debilidad corporal, la neurastenia, el ahogo y las palpitaciones debidas a disfunciones pulmonares.

• En los movimientos 1, 2 y 3, se gira la cintura. Esto permite reforzar la coordinación de los músculos y de las articulaciones de la espalda y de las caderas, tiene efectos favorables que ayudan a prevenir y tratar la fatiga de los músculos lumbares, mejorar la función de la columna vertebral y los problemas de las vértebras sacro-lumbares.

• La práctica regular de este ejercicio previene y trata la proliferación ósea del raquis cervical y la periartritis del hombro, y mejora la circulación sanguínea en la arteria cerebral.

Acariciar la cola del pájaro hacia la izquierda y hacia la derecha

• Es un movimiento muy importante del Tai Chi Chuan que se realiza a menudo. Si se practica regularmente permite unir la voluntad, el Chi y la mente.

• Tiene el efecto de regular las funciones fisiológicas del sistema nervioso central, prevenir el insomnio y tratar y prevenir los trastornos gástricos, gracias a los movimientos de rotación de la zona lumbar y de las caderas (1, 2, 3, 4, 5, 6, 7, 8,).

1

2

3

4

5

6

7

8

Las manos se mueven como nubes

• Es el mejor movimiento para activar el Chi. Con la rotación del tronco sobre la zona lumbar, mejora la condición de los nervios y de las vísceras, previene y trata el cansancio de la región lumbar y de la espalda, la periartritis del hombro y la proliferación ósea (1, 2, 3, 4, 5).

1   2

3

4

5

El gallo de oro sobre una pata hacia la derecha y hacia la izquierda

Este ejercicio es excelente para los problemas de lumbalgia, los trastornos sexuales como la impotencia, la eyaculación precoz y la prostatitis. Se tonifican y masajean los riñones en profundidad gracias al levantamiento de las dos piernas.

1

- A la derecha (1, 2).
- A la izquierda (3, 4).

3

4

La joven doncella teje con la lanzadera hacia la derecha y hacia la izquierda

Los movimientos de rotación de la cintura y de las caderas y las extensiones y flexiones de las articulaciones ayudan a reforzar las funciones fisiológicas de las articulaciones y con ello se previene y trata su mal funcionamiento.

• A la derecha (1, 2).

1   2

• A la izquierda (3, 4).

3

4

La aguja en el fondo del mar y el abanico

• Este movimiento, que se compone de la inclinación hacia delante y del enderezamiento de la espalda acompañado de una respiración profunda, permite reforzar los movimientos de la región lumbar y dorsal de las rodillas, de las caderas y de los hombros y ejercer un masaje interno de los órganos, corazón, pulmones, hígado, riñones, bazo, estómago, etc. Regula la coordinación de las funciones orgánicas y mejora la circulación de la sangre y del Chi en los meridianos.

1   2

• Este movimiento tiene efectos reguladores en las enfermedades debidas a disfunciones de las vísceras, como la disfunción gástrica e intestinal, la ptosis gástrica y la gastritis crónica (1, 2, 3, 4, 5, 6).

3

4

5

6

Tirar y empujar

• Este ejercicio hace trabajar a todo el cuerpo, principalmente los movimientos de las articulaciones, que se pueden coordinar perfectamente, lo cual refuerza las funciones reguladoras del cerebro en los movimientos realizados al unísono (1, 2, 3).

1

2

3

EN EL TAI CHI CHUAN TODO ES SIMBÓLICO

Todo es simbólico en el Tai Chi Chuan: todos los movimientos son como letras que se han de descifrar y combinar para componer frases y poemas. Éste es el verdadero arte. En el Tai Chi Chuan, reencontramos los símbolos del círculo y del centro. Para que reinen el orden y la armonía, se necesita una cabeza, un centro (Tan Tien), un vértice sobre el cual todo pueda girar. Pues será ese punto el que concentrará todas las fuerzas de la unidad.

Cuando en el Tai Chi Chuan se hacen movimientos circulares, se ha de pensar que se es el centro y eso se consigue siendo consciente del Tan Tien. El practicante de Tai Chi Chuan es el centro del círculo que es su cuerpo y todo su ser.

En la práctica regular desarrollamos un gran número de fuerzas, que muchas veces se expresan en forma de gestos y miradas.

Cada gesto es una fuerza que se mueve en los distintos mundos; corresponde a corrientes, a colores, a vibraciones y alcanza a las personas que están a nuestro alrededor.

Cuando se han dominado estos gestos y se realizan con mucha dulzura y armonía, nos abren algunas puertas de la naturaleza y nos vinculan con potenciales positivos.

Los movimientos gestuales del Tai Chi Chuan, cuando se realizan con amor, nos armonizan con las fuerzas benefactoras que hay alrededor. Abren los canales espirituales que permiten los intercambios entre las fuerzas interiores y las exteriores, y estos intercambios tienen efectos beneficiosos para nuestra salud.

Se deben educar los gestos, aprender que cada dedo capta y transmite corrientes de energía, ondas de distinta índole. Son antenas.

Los maestros de Tai Chi Chuan saben trabajar con sus dedos y captar, gracias a ellos, las corrientes que circulan en el espacio y que permiten curar, purificar y prepararse para el trabajo.

La mirada también es muy importante en el Tai Chi Chuan. En la práctica ésta se mueve: mirada hacia la lejanía, mirada hacia la mano, etc. Se ha de mirar con dulzura.

La mirada es la proyección de una energía, de una cualidad o de una debilidad en concreto. En la mirada está todo, puesto que es una síntesis de todo nuestro ser y en ella se refleja todo: lo burdo y lo delicado, la bestia y la inteligencia, la nobleza y la bajeza, la fuerza y la debilidad.

La mirada es un resumen de toda nuestra personalidad, imprime su sello allá donde se dirija. Para cambiar la mirada, es necesario cambiar toda nuestra forma de ser: la forma de pensar, de sentir, de actuar. A través de la mirada las energías llegan a los seres vivos y a los objetos. La mirada es lo más importante. La mirada ha de ser tranquila y dulce durante la práctica.

Es bueno saber que con la mirada se puede ayudar a los demás. Si alguien está inmerso en la duda, el sufrimiento, la desesperación, se le puede ayudar con la mirada.

La edad de oro enseñará a mirar a todos los seres humanos con una mirada pura, tranquila, pues la mirada es el lenguaje de los ángeles. Éstos recorren el espacio a una velocidad vertiginosa, superior a la de la luz, pero a su paso nos envían una mirada de la que nos acordamos durante toda la eternidad y por la cual nos curamos, nos iluminamos y nos salvamos. Nada en el mundo puede compararse a semejante mirada. Es el verdadero lenguaje del cielo.

Nuestra mirada y nuestros gestos son una fuerza, una gota lanzada al océano de las energías, que produce ondas que tarde o temprano regresarán a nosotros.

Si le gusta el Tai Chi Chuan, aprenda a hacer los gestos con mucha armonía, precisión y dulzura, cada gesto y mirada desencadenan una energía sutil que activa los conmutadores de la naturaleza, sin que se sepa de antemano lo que va a suceder. Los movimientos del Tai Chi Chuan constituyen un lenguaje elocuente y poderoso para aquel que lo conoce. Son una carta que nosotros (los practicantes) estamos siempre escribiendo a los mundos visibles e invisibles. Son signos secretos gracias a los cuales entramos en contacto con todos los seres racionales e irracionales de la naturaleza.

Esto también se puede aplicar a todos los gestos que hacemos en nuestra vida diariamente. Son expresiones de nuestro intelecto y corazón, a través de ellos tenemos la posibilidad de crear o destruir nuestro porvenir.

El símbolo del círculo

El símbolo del círculo con un punto en el centro representa geométricamente toda la creación.

Además, desde el punto de vista geométrico, el centro del círculo se puede considerar la proyección de una cumbre. Observe una montaña o un cono: la proyección de su cima dibuja el centro de un círculo. El símbolo del centro es pues idéntico al de la cima.

Desde una cima no hay obstáculos para la vista, cuando estamos en la cima de una montaña, vemos todo lo que nos rodea, estamos más lúcidos, sabemos lo que puede pasar. A continuación delante del espacio que descubrimos ante nosotros, nos sentimos sosegados, expandidos, podemos respirar. Por último, somos libres, podemos movernos a nuestro gusto, nos volvemos poderosos.

De modo que el que se esfuerza por acercarse al punto central consigue la claridad, la paz y la libertad.

El arte que practicamos, el Tai Chi Chuan, se compone de círculos y espirales. Está totalmente equilibrado y centrado. Los movimientos son circulares y giran en torno a nuestro centro.

El Tai Chi Chuan se diferencia de otras técnicas en este aspecto: nos ayuda a encontrar en nosotros mismos un centro móvil.

Es una meditación en movimiento. Desplazamos nuestro centro al movernos, aunque siempre estemos en movimiento, mantenemos una tranquilidad propia de la inmovilidad. Es como si estuviéramos en la cumbre de una montaña contemplando la llanura.

El centro es el Tan Tien, los movimientos redondeados son el círculo. El círculo con su centro es el símbolo del sol. Cuando practicamos Tai Chi Chuan, cada uno de nosotros es un sol, cuyo símbolo es el siguiente: ☉

Este símbolo existe igualmente en otras partes del cuerpo extremadamente importantes, dado que es donde se crea la vida. Además, en este campo también hay una periferia y un centro. En el campo del amor podemos encontrarnos en la periferia, que es cuando se denomina amor carnal, pasional. Mientras que el que sabe manifestar el amor verdadero ha encontrado su centro.

La naturaleza ha inscrito este símbolo en el ser humano para recordarle que ha de buscar un centro para dominar todos sus instintos, de lo contrario será barrido, triturado.

En la práctica del Tai Chi Chuan, se debe cuidar apasionadamente el centro, pues de él procede el Chi.

En la vida cotidiana, también hay que ocuparse del centro, pues partiendo de él se sabe todo lo que está en la periferia, se tiene una visión justa del mundo.

Medite a menudo sobre este símbolo del círculo, pues en él está todo. ¿Qué es el centro? Es la mente. ¿Qué es el círculo? Es el espacio, la materia. Estudie el círculo en el Tai Chi Chuan y en su vida cotidiana y comprenderá el misterio de la relación entre el espíritu y la materia.

Ya conoce la definición que hemos dado de Dios: una esfera cuyo centro está en todas partes y la circunferencia en ninguna. Esto prueba que en un círculo, sólo el punto central existe realmente. El círculo se reduce pues al punto. El universo también es un círculo cuyo centro está en todas partes.

Allá donde estemos es el centro del universo y cualquier lugar del mundo también es el centro del universo.

El centro se encuentra a la misma distancia de todos los puntos de la periferia, y ésta es la razón por la que mantiene el círculo en equilibrio. Entre el punto central y la periferia se producen intercambios constantes y estos intercambios crean la vida dentro del espacio del círculo. Toda la vida está allí, vibrando, palpitando, respirando, asimilando, eliminando, pensando...

En el Tai Chi Chuan, las extremidades representan la periferia, el Tan Tien es el centro, es el que proyecta el Chi hacia los cuatro miembros y los hace vibrar, palpitar. Esto es lo que sucede en la inhalación. Al exhalar el Chi regresa al Tan Tien.

Hay un magnífico ejemplo que ilustra bien el símbolo del círculo con su centro. Al final del encadenamiento de la forma larga o corta, realice un movimiento circular con los brazos (imagen del círculo) y lleve las manos al Tan Tien (imagen del centro): está dibujando en el espacio el símbolo más poderoso del universo.

LA EXPERIENCIA DEL TAI CHI CHUAN

¿Qué hacemos exactamente cuando practicamos Tai Chi Chuan? Nos armonizamos con el cuerpo, con nuestra mente, nuestro entorno y el universo. Nos identificamos con los movimientos, nosotros somos los movimientos. Estamos aquí y ahora, plenamente presentes, totalmente despiertos y alerta. Nosotros somos el Tai Chi Chuan. Cambiamos el tiempo y creamos los acontecimientos. Como es natural, pagamos nuestros impuestos, lavamos nuestros coches y compramos alimentos. ¿Existe algún vínculo entre estas actividades tan diversas o, por el contrario, son un conjunto de prácticas individuales?

En el principio primordial y fundamental del Tao encontramos un indicativo. Este principio afirma que «El mundo es lo que nosotros creemos que es». Podemos expresar lo mismo diciendo: «Nosotros creamos nuestra propia realidad». Por eso la mayor parte de las personas que enuncian este principio no lo aceptan del todo, puesto que interpretan solamente que todo lo malo que les sucede en su vida es culpa suya. Por otra parte, muchos otros que lo aceptan, al intentar comprenderlo mejor, también limitan su significado a la idea de que ellos son responsables de sus sentimientos y de sus experiencias, y que al cambiar sus pensamientos negativos en positivos empezarán a conseguir una experiencia positiva.

Intentemos ir más lejos, afirmando que no adquirimos la experiencia por el pensamiento, sino que realmente creamos realidades. Con nuestros postulados, actitudes, esperanzas, hacemos que las cosas sean posibles o imposibles, reales o irreales. Dicho de otro modo, yo diría que al modificar nuestros pensamientos podemos conseguir cosas ordinarias o extraordinarias en la dimensión física. Toda unicidad procede del modo en que apliquemos este principio.

La única manera de cambiar de experiencia y de forma de ser para poder utilizar nuestros dones extraordinarios en el interior de una realidad es cambiar una serie de creencias o de actitudes por otra en el interior de esa misma realidad. Esto parece sencillo y de hecho lo es. Lo más difícil –lo que puede ser más delicado para algunos de nosotros– es aceptar la simplicidad, porque ello implica cambiar de idea sobre la naturaleza de esta realidad.

Aunque ahora hablemos de los distintos mundos, les pido que no pierdan de vista que se puede realizar una discreta incursión en cada uno de ellos –como cuando metemos la punta del dedo gordo del pie en el agua de un estanque– en lugar de sumergirnos por completo como haríamos en las profundidades del océano.

El mundo objetivo

El mundo de primer nivel es, lo que llamaríamos en la sociedad actual, la realidad ordinaria. Si tomamos como ejemplo un prado en el corazón de un bosque, la experiencia sensorial que tendríamos –el color de las plantas, de la tierra o del cielo, el perfume de las flores, el canto de los pájaros, la caricia de la brisa sobre la piel, la percepción de los movimientos de un gamo y su gamezno– se situaría en el ámbito del mundo objetivo. Al examinar el prado bajo este ángulo nos parecería que evidentemente tendría ciertas dimensiones, que estaría poblado de árboles de varias especies –arbustos y coníferas–, que diversos tipos de animales frecuentan el lugar, que ese prado es propiedad de alguien y así sucesivamente...

Todo esto sería cierto, por supuesto, pero solamente en este plano de percepción. Pues este primer nivel, por evidente que parezca, sólo se puede percibir de este modo a razón de una creencia o de un postulado fundamental que sirve de marco a este mundo objetivo: «Todo está separado». Es el postulado que autoriza la experiencia sensorial directa, la física clásica y las ideas de relación causa y efecto. A menudo es difícil para las personas educadas en este principio considerarlo sólo como un postulado. Es evidente que parece ser la única realidad posible, pero así es la naturaleza de los postulados fundamentales. Toda experiencia tiende a concordar con la idea personal que cada uno se hace de la misma. Es como si uno se pusiera unas gafas de color rosa y ya no se acordara de que las lleva. Si la persona se olvida de que tiene la posibilidad de quitárselas, llega a creer que el rosa es el color natural del mundo y el único que le puede ofrecer. Esta incoherencia aparecerá cada vez que el yo –consciente o inconsciente– se ponga delante de otras hipótesis: por ejemplo, si las gafas se caen de la nariz, si de repente se acuerda de que se las puso o si tiene un sueño en el que ve el mundo de color verde. Entonces, se abrirá a la perspectiva de una experiencia en un plano distinto.

La idea de que todo está separado es una noción muy fuerte y muy útil. Ha fomentado los viajes, las investigaciones, la ciencia, la industria y todos los milagros de la tecnología moderna. A pesar de esto, también ha sido utilizada para justificar la esclavitud, el racismo, las huelgas, la vivisección, la polución, la explotación demencial de las reservas terrestres. Hemos de comprender que esta teoría no es ni buena ni mala en sí misma. Los seres humanos se han de plantear otros postulados asociados a sistemas de valores antes que lo bueno y lo malo entren en escena y no les permitan funcionar en otro plano de la realidad.

Por ejemplo, si contemplamos objetivamente nuestro prado, lo podemos considerar bueno porque produce alimento para varios animales. Pero también nos puede parecer un estorbo porque ocupa un espacio que se podría utilizar mejor para cobijar y alimentar a los seres humanos. Asimismo podríamos decir a propósito del mundo objetivo que todo tiene un principio y un fin, al igual que todo efecto procede de una causa determinada. Las cosas nacen y viven a partir de una acción u otra, luego se mantienen y después dejan de existir. Éste es un concepto vital en el mundo objetivo.

Algunas personas tienen una visión desfavorable del mundo objetivo, intentan huir de él, menospreciarlo, negarlo. Sin embargo, en el pensamiento del Tai Chi, el mundo físico objetivo sólo es un lugar más donde se puede actuar, pues la meta del Tai Chi es la de moverse con eficacia en cualquier mundo. En el mundo objetivo, el Tai Chi sólo es un simple método físico, eficaz, no cabe duda, pero que sobre todo presenta las características de una técnica de bienestar muscular y respiratorio.

En el campo terapéutico, los métodos de curación son, por ejemplo, los masajes, la quiropraxia, la fitoterapia, la nutrición y la cromoterapia.

El mundo subjetivo

Supongamos que volvemos a estar en el prado del que acabamos de hablar. Esta vez somos conscientes de la interdependencia del mundo natural, las funciones de conservación que desempeñan los elementos de la luz y de la sombra, del viento y del agua, del suelo y de las piedras, de los pájaros, de las flores, de los insectos. Tenemos la impresión de formar parte de esta interdependencia, de no ser simples espectadores. Puede que experimentemos paz, bienestar, amor, temor. Puede que seamos conscientes de la estación o que evoquemos estaciones pasadas y futuras. Si se tiene el don de ser sensible psíquicamente, es probable que se experimente un gran cambio interno y se puedan ver las auras, los campos de energía, de todo lo que se tiene delante de los ojos y los efectos combinados de todas las fuerzas. Puede que la persona se comunique con las plantas, los animales y las piedras, con el viento, el sol, el agua; que comparta sus secretos y sus historias. Según el origen, experiencia y disposición de cada uno, incluso s podrá sentir los espíritus de la naturaleza y comunicarse con el alma del prado. Se podrá de pronto ser testigo de una escena que tuvo lugar hace cien años.

Los ejemplos mencionados relativos a las experiencias del mundo subjetivo sólo son posibles según la hipótesis de que todo está interconectado, respaldada por las hipótesis secundarias de que todo forma parte de un ciclo transitorio, de que todos los acontecimientos están sincronizados. En el ámbito de este mundo, la telepatía y el don del sexto sentido son hechos naturales, tan incontestables como la acción de una palanca en el mundo objetivo. La comunicación espiritual, para la que no existen distancias, es posible porque todo está íntimamente conectado. Las emociones se pueden sentir gracias a la empatía, y podemos distinguir las auras, puesto que la energía es el vínculo. Podemos conocer nuestras vidas anteriores y futuras porque la vida es cíclica y el tiempo sincrónico. En este plano, la muerte no es más que una transición, una parte del ciclo, mientras que para el mundo objetivo constituye un fin. En este plano todo es cierto, pero quiero recalcar una vez más que eso es a condición de ver las cosas bajo esa perspectiva. Ésta es la razón por la que a las personas sólidamente aferradas al mundo objetivo les cuesta tanto aceptar la realidad de los fenómenos psíquicos y las ciencias subjetivas como la astrología; ésta es también la razón por la que los que siempre han estado orientados hacia el mundo subjetivo tienen tantos problemas para explicar sus experiencias a sus amistades aferradas al mundo objetivo.

Ninguno de estos mundos tiene sentido si lo vemos bajo la perspectiva del otro. Si sólo se cree en el nacimiento y la muerte, y en nada más, las vidas pasadas no tienen sentido. Si sólo se ven las estrellas como algo que está a miles de miles de kilómetros, mientras nosotros estamos en la tierra, toda influencia que puedan ejercer parecerá absurda.

Por el contrario, si admitimos que todo es interdependiente, cortar los árboles que tenemos a nuestro alrededor para construir casas nuevas es un verdadero suicidio. El Tai Chi puede conducirnos a un dilema parecido por este principio: «La eficacia es la medida de la verdad». Lejos de intentar determinar cuál es el punto de vista correcto, el Tai Chi adopta el que le resulta más eficaz y más apropiado para hacernos entender nuestra meta, que es la de prevenir y curar las enfermedades.

En este plano los métodos de sanación utilizan la sugestión y las formas de pensamiento, la acupuntura, el equilibrio energético, la transmisión por el movimiento y de la imposición de manos o ciertos instrumentos, como los cristales y otras formas especiales de energía.

La práctica del Tai Chi se basa en la conducción y en la capacidad de sentir el Chi por los meridianos y por todo el cuerpo.

El mundo simbólico

Aquí estamos de nuevo en nuestro prado, pero esta vez, vamos a dar rienda suelta a la imaginación y veremos que ella representa nuestra propia apertura a la vida y el amor; los árboles se convertirán en representaciones de nuestra forma interna y de nuestras visiones más inverosímiles, escucharemos que los pájaros cantan promesas de júbilo y la luz del sol será el dedo de Dios que toca nuestra frente. Estaremos inmersos en la belleza de los lugares, tan conmovidos que, según nuestras inclinaciones, iremos al campo a escribir un poema o a pintar un cuadro. Ahora nos encontramos en un estado mental que descansa en esta hipótesis: todo es un símbolo. Si los sueños son símbolos, la realidad también es un sueño. Uno de los aspectos del poder de la visualización en el Tai Chi es el de poder penetrar en el seno de los sueños y transformarlos (estoy haciendo alusión al poder de la imaginación creadora).

En este punto de nuestra disertación, nos podríamos preguntar: «¿Qué simboliza todo esto? ¿A quién pertenece este sueño?». Sería correcto responder que todo es un símbolo de todo lo demás, pero ante todo del sujeto receptivo, y que el sueño es el sueño de todos, pero sobre todo el nuestro. También podríamos explicar que en el plano simbólico, todo lo que surge de nuestra experiencia personal es un reflejo de nosotros mismos y abarca a las personas y los objetos que nos rodean. Para cambiar la experiencia en este plano podemos cambiar los símbolos, cambiar nuestra interpretación de los mismos, o bien cambiarnos a nosotros mismos, de modo que el reflejo cambie al mismo tiempo.

Hemos de admitir que cada cosa representa lo que nosotros queremos que represente.

En este plano el Tai Chi se percibiría como una espiral evolutiva alrededor de nuestro centro. Los métodos de sanación incluyen las terapias que se basan en la oración y la sugestión, las terapias verbales de evocaciones espirituales y también la hipnosis.

El mundo holístico

Ahora ya no estamos en el prado. Somos el prado. Sentimos cómo el sol se transforma en una energía utilizable por la clorofila de nuestras hojas, mientras que nuestras raíces extraen su alimento de la tierra. Ofrecemos con gusto nuestro néctar a la abeja que viene a recoger nuestro polen para ofrecérselo a otras flores. Al igual que la abeja, nos gusta libar. Sabemos instintivamente que una parte de nuestro polen que ella se lleva servirá a otras flores.

He aquí un pequeño ejemplo de lo que puede ser la experiencia en un mundo holístico. Aquí el postulado primordial es que todo es uno. La experiencia más profunda es la que se suele denominar "experiencia cósmica", denominación totalmente inadecuada para describir la sensación de pertenecer al universo, de identificarse con él. Las palabras y el lenguaje son incapaces de describir semejante experiencia. La más superficial y corriente es sentir la propia existencia.

En el plano holístico, no existe la idea de diferenciación entre uno mismo y todo aquello que nos identifica como lo que somos. En la medida en que somos conscientes de la alteridad, nos movemos en otros planos. Observaremos que en nuestra progresión de un mundo a otro, la sensación de separación –primer atributo del mundo objetivo– ha disminuido en el mundo subjetivo y todavía más en el simbólico. Una persona puede tener una conciencia holística de lo que consideramos como el "yo" y simultáneamente una conciencia no holística de lo que "no es el yo".

Mientras la experiencia holística es una experiencia humana natural –algunas personas amplían su sentido de identidad a sus objetos personales, a su familia, a su ciudad, a su país–, esta identidad exige una habilidad considerable para penetrar en este mundo y desenvolverse en él conscientemente.

En el Tai Chi, el practicante se identificará con los movimientos y con todo lo que representa la naturaleza y a los animales: "el viento entre las ramas", o bien "la grulla que extiende sus alas", etc.

La consecuencia del segundo postulado de este plano es: el conocimiento engendra la existencia. Como diría Emerson: «Actúa y conseguirás la fuerza».

En este plano los métodos de curación son de dos tipos. En primer lugar está la "transmisión". En este grado más o menos elevado, adoptamos la identidad de un sanador más poderoso, o bien nos esforzamos por progresar, podemos intervenir en una sanación. También podemos esperar identificarnos con la persona que vamos a ayudar a sanar. Nos convertimos en ella y luego ésta se restablece.

El desplazamiento entre los mundos

Cambiar de estado de conciencia o desplazarse entre los distintos mundos siempre es un proceso sutil y delicado.

Para moverse fácilmente y con eficacia de un mundo a otro, es indispensable abandonar los postulados de cada uno de ellos –y los análisis críticos que de ellos se desprenden– antes de desplazarse hacia otro totalmente distinto. Se requiere una gran práctica para que éste sea un proceso automático. Lo que nos ayudará mucho es tener una absoluta confianza en nosotros mismos y en la energía universal.

Concluir una obra sobre el Tai Chi Chuan es muy difícil, pues los tesoros de este arte magistral son infinitos.

Largo es el camino, muy largo y sembrado de obstáculos (orgullo, vanidad, suficiencia, falta de humildad...).

Una larga lucha os espera, pero la victoria es deliciosa, exquisita.

Buena suerte en vuestra práctica.

SUMARIO